Studien zur Dogmengeschichte und systematischen Theologie

herausgegeben von Eberhard Jüngel, Gottfried Wilhelm Locher,
Arthur Rich, Joachim Staedtke †

Band 34

Ernst Saxer: Vorsehung und Verheißung Gottes

ERNST SAXER

VORSEHUNG UND VERHEISSUNG GOTTES

Vier theologische Modelle
(Calvin, Schleiermacher, Barth, Sölle)
und ein systematischer Versuch

Theologischer Verlag Zürich

Publiziert mit Unterstützung des Schweizerischen Nationalfonds
zur Förderung der wissenschaftlichen Forschung

CIP-Kurztitelaufnahme der Deutschen Bibliothek

Saxer, Ernst:
Vorsehung und Verheißung Gottes: 4 theol. Modelle
(Calvin, Schleiermacher, Barth, Sölle) u. e. systemat. Versuch / Ernst Saxer. –
Zürich: Theologischer Verlag, 1980.
(Studien zur Dogmengeschichte und Systematischen Theologie; Bd. 34)
ISBN 3-290-16034-3

Printed in Switzerland by Druckerei Meier + Cie AG Schaffhausen
Auflagenhöhe: 660 Exemplare

Inhaltsverzeichnis

Teil IV: Vorsehungslehre und Atheismus bei D. Sölle

Teil V: Vorsehung als Verheißung – ein systematischer Versuch

«We mustn't question the ways of Providence,» said the Rector. «Providence?» said the old woman. «Don't yew talk to me about Providence. I've had enough of Providence. First he took my husband, and then he took my 'taters, but there's One above as'll teach him to mend his manners, if he don't look out.»

The Rector was too much distressed to challenge this remarkable piece of theology.

«We can but trust in God, Mrs. Giddings,» he said.

Aus: Dorothy Sayers, The Nine Tailors, in: The Sayers Tandem, V. Gollancz, London, 1958, 58.

Vorwort

Die vorliegende Arbeit wurde Ende Oktober 1976 abgeschlossen, der Evang.-Theol. Fakultät der Universität Bern als Habilitationsschrift eingereicht und von ihr im November 1977 angenommen. Für die Drucklegung wurde das Manuskript stellenweise stilistisch etwas überarbeitet und durch einige Literaturangaben ergänzt.

Wesentliches Verdienst am Zustandekommen dieser Arbeit hat Prof. G. W. Locher, Bern, der deren Abfassung nicht nur anregte und mit fachlichem Rat begleitete, sondern mich auch ermutigte, die schwierige Doppelaufgabe von Gemeindepfarramt und wissenschaftlicher Arbeit durchzustehen.

Mein Dank gilt aber auch den ehemaligen und jetzigen Dozenten meiner Heimatuniversität Zürich, wo ich seit meiner Studienzeit stets auf freundliche Beratung und Unterstützung zählen durfte.

Speziell danke ich Frau Prof. S. Hausammann, Wuppertal, für die vielen klärenden Gespräche über dogmatische und historische Fragen.

Den Herren Herausgebern danke ich für die Aufnahme dieser Arbeit in die Reihe der «Studien zur Dogmengeschichte und Systematischen Theologie», wobei ich an dieser Stelle besonders des inzwischen verstorbenen Prof. J. Staedtke gedenke, dem Schweizerischen Nationalfonds zur Förderung der wissenschaftlichen Forschung für den zugesprochenen namhaften Beitrag an die Druckkosten und dem Theologischen Verlag Zürich für die sorgfältige Betreuung der Drucklegung.

Einen besonders herzlichen Dank entbiete ich schließlich allen Familienangehörigen sowie den Kollegen und der Kirchenpflege Dübendorf für ihr Verständnis und ihre Hilfe während mancher Zeit großer Arbeitsbelastung.
Ihnen allen und dem Andenken meines verstorbenen Vaters sei dieses Buch gewidmet.

Dübendorf, 20. Februar 1980. Ernst Saxer

Einleitung

Für den reformierten Christen sind es vor allem zwei Texte seiner Glaubenstradition, welche den für ihn zentralen Sachverhalt der Vorsehung als Gnade Gottes aussagen. (1) Der eine ist das Wort Jesu an die Jünger: «Sind nicht zwei Sperlinge für einen Pfennig zu kaufen? Und nicht einer von ihnen fällt auf die Erde ohne euren Vater. Bei euch aber sind auch die Haare des Hauptes alle gezählt. So fürchtet euch nun nicht; ihr seid viel mehr wert als Sperlinge» (2). Der andere – mit auf diesem Bibelwort fußende – Text ist die Antwort zur ersten Frage des Heidelberger Katechismus: ...«das one den willen meines Vatters im Himmel/kein har von meinem haupt kan fallen/ja auch mir alles zu meiner seligkeyt dienen muß» (3).

Gerade in ihrer Nebeneinanderstellung werfen beide Texte sofort die Frage nach der Möglichkeit einer Vorsehungslehre auf. Von der Zusage Jesu zur Aussage des Katechismus ist ein spürbarer Schritt vorhanden, der Schritt vom persönlichen Zuspruch an die Person des Christen zum allgemeinen Anspruch einer allgemeinen christlichen Wahrheit. Die hier angedeutete Problematik wird sichtbar, wenn man die Übersetzungen des Jesus-Wortes in den letzten Jahren vergleicht:

«Und nicht einer von ihnen fällt auf die Erde ohne euren Vater» (NTD E. Schweizer 1973/NT W. Wilckens 1970)

«Dennoch fällt deren keiner auf die Erde ohne euren Vater» (Luther-Bibel, 1968)

«Und doch fällt kein Spatz auf die Erde, ohne daß euer Vater es zuläßt» (Die Gute Nachricht (ökumenisch) 1967/71)

«Yet without your Father's leave not one of them can fall to the ground» (The New English Bible (NT) 1961)

«Und nicht einer von ihnen wird ohne Zutun eures Vaters auf die Erde fallen» (Zürcher Bibel, 1931 ff.)

«Dennoch fällt keiner von ihnen auf die Erde, wenn euer Vater nicht will» (J. Zink, Das Neue Testament, 1965 ff.)

1) So auch H. Ott, Vorsehung, in: Theologie VI × 12 Hauptbegriffe, Stuttgart 1967, 211–215. Vgl. von Ott weiter: Gott. Themen der Theologie 10, Stuttgart 1971 und F. Buri, J. M. Lochman und H. Ott, Dogmatik im Dialog, 3 Bde, Gütersloh 1973–76.

2) E. Schweizer, NTD 2, Das Evangelium nach Mat., 158. Vgl. zur Exegese des Bibeltextes neben Schweizer v. a. E. Fuchs, Das Zeitverständnis Jesu, in: Zur Frage nach dem historischen Jesus, Tübingen 1960, 304–376.

3) W. Niesel, Bekenntnisschriften und Kirchenordnungen der nach Gottes Wort reformierten Kirche, Zollikon-Zürich 3. A. oJ, 149, 31–33 (= Niesel, BS).

«Cependant, il n'en tombe pas un à terre sans la volonté de votre père» (Segond, 1964).

Wir sehen hier, wie offenbar die Formulierung des Heidelberger Katechismus Rückwirkungen auf die Übersetzer hatte, eine Formulierung, die ihrerseits auf Calvins Institutio zurückgeht (4). Die Übersetzer wollten die Textstelle klären und trugen damit ihre Sicht der Vorsehungslehre ein, und dies trotz der eindeutigen Überlieferung des Jesuswortes.

Von unserer eigenen reformierten Tradition dazu veranlaßt, dem Vorsehungsglauben eine zentrale Stelle als Ausdruck von Gottes Gnadenwirken einzuräumen, stellen wir uns doch die Frage, in welchen Formen traditioneller Vorsehungslehre, ja ob überhaupt unter dem Begriff Vorsehung, heute noch sinnvoll von Gott die Rede sein kann. Zu der Problemdimension Gott und Geschichte, in der in gewandelter Form Probleme des Vorsehungsglaubens v.a. in den 50er- und 60er-Jahren verhandelt wurden und heute etwa bei MOLTMANN und PANNENBERG weitergeführt werden, kommt als zweite das Gebiet der Vorsehung direkt betreffende Problemdimension diejenige von Gott und Sprache. «Zur Gottesfrage» (5) ist hier eine große philosophisch-theologische Auseinandersetzung im Gange, einerseits geprägt von der Problemstellung Metaphysik und Offenbarung, anderseits von der Frage der Möglichkeit sinnvollen Redens von Gott – von der angelsächsischen und deutschen Philosophie her wie auch von der Religions- und analytischen Psychologie und Soziologie her. Wir meinen, daß hier am Problem der Vorsehung als eines klassischen Grenzgebietes theologischer und philosophischer Aussagen an einem konkreten Beispiel Helfendes zum Problem christlichen Redens von Gott beigetragen werden könnte (6).

Schließlich ist das Reden von Gottes Vorsehung individuell ein Ausdruck persönlicher Erfahrung und generell eines Selbstbewußtseins als christlichem Kultur-Rest. Hier hat die jüngste Geschichte allerdings diesem allgemeinen Gefühl eines Sich-Verlassens auf Gottes Vorsehung einen neuen Stoß versetzt. Selbst von Schwerstem Bewahrte beugen sich diesen Erfahrungen und setzen den Glauben an die Absurdität des Daseins als einzige Alternative gegenüber der als Geschichtsnotwendigkeit verstandenen Vorsehung, die dann

4) Inst. I, 17, 6. Vgl. dazu Teil 1, Anm. 75 und 76.

5) So das Thema von Ev Th 3/1975.

6) Vgl. dazu v. a. G. Ebeling, Gott und Wort, Tübingen 1966, und E. Jüngel, Gott – als Wort unserer Sprache, in: Unterwegs zur Sache, München 1972, 80–104 (entstanden 1969), sowie als neuere Übersicht Alex Stock, Theologie und Wissenschaftstheorie, in: Verkündigung und Forschung. Systematische Theologie, Bh EvTh 2/1975, 2–34.

auch «einen Hitler» gebracht habe (7). Als gegenwärtig aktuellstes Beispiel weisen wir auf die Krise des Fortschrittglaubens und die entsprechenden Voraussagen der Futurologie hin. «Hoffnung und die Zukunft des Menschen» (8) sind nicht mehr von einem Vertrauen in den vermeintlichen Gang zur Vollendung technisch-zivilisatorischer Höherentwicklung der gesamten Menschenheit getragen. «Der Wärmestrom der Teleologie, der unser Bewußtsein getragen hat, versiegt immer mehr» (9). In reißerischer Form kommt dies in dem Buch von C. Améry «Das Ende der Vorsehung» (10) zum Ausdruck, der den Grund dieser Krise im blinden Ausbeuten der Erde auf Grund der biblischen Verheißung ihrer Unerschöpflichkeit sieht und damit den Finger auf die Wunde der futurischen Eschatologie und der sie ausschaltenden reinen Säkularisationstheologie legt (11).

Dasselbe Problem stellt sich bei der Frage des persönlichen und gesellschaftlichen Leidens, des Unglücks und des Kriegs, der Schmerzen, der Brutalität und des Todes. Hier stellt sich die Frage der sog. Theodizee, der Rechtfertigung Gottes oder Verurteilung Gottes aus den Verhältnissen der von ihm geschaffenen und regierten Welt her, die in vielem ein Hauptgrund für den Atheismus war und ist. Im Gegensatz zur neu aufgetauchten Bedrohung unserer «planetarischen Existenz» ist die Frage von Leiden und Lebenssinn so alt wie der Mensch und seine Religionen. Man könnte allerdings erwägen, ob das Ende des Kosmos als religiöses Thema nicht ebenso ursprünglich ist. Als Thema realer Möglichkeit der Herbeiführung durch den Menschen ist es jedoch erst in neuster Zeit (wieder) ins allgemeine Bewußtsein gelangt

7) So z.B. Max Frisch, Tagebuch 1966–1971, (1972) Suhrkamp Sonderausgabe 1974, 87: «... es hätte immer auch anders sein können und es gibt keine Handlung und keine Unterlassung, die für die Zukunft nicht Varianten zuließe ... Jeder Versuch, ihren Ablauf (d.h. der Geschichte, Zufügung d. A.) als den einzig möglichen darzustellen und sie von daher glaubhaft zu machen, ist belletristisch; es sei denn, man glaube an die Vorsehung und somit (unter anderem) auch an Hitler. Das tue ich aber nicht.»

8) So das Thema von Ev. Th 4/1972. Vgl. dazu jetzt auch E. Jüngel, Gott als Geheimnis der Welt, Tübingen 2. A. 1977 und H. Küng, Existiert Gott?, München 1978, v. a. 119–154; sowie H. Ott, Das Reden vom Unsagbaren. Die Frage nach Gott in unserer Zeit, Suttgart/Berlin 1978, v. a. 118 ff.

9) J. B. Metz in: Erinnerung des Leidens als Kritik eines teleologisch-technologischen Zukunftsbegriffs, Ev Th 4/1972, 338.

10) C. Améry, Das Ende der Vorsehung. Die gnadenlosen Folgen des Christentums, Hamburg 1972.

11) V. a. aaO 15 ff. und 29. Die Aufnahme der eschatologischen Problematik dann u. a. bei M. Schloemann, Wachstumstod und Eschatologie. Die Herausforderung christlicher Theologie durch die Umweltskrise, Stuttgart 1973, die der ethischen u. a. durch A. Rich, Die theologische Sozialethik vor dem Umweltproblem, Reformatio 23, 10/1974, 551 ff.

und hängt als Drohung über jeder Suche nach dem Sinn und der Verwirklichung des Lebens.

Ob damit nun der biblische Vorsehungsglaube wirklich erledigt ist oder gerade angesichts der Lebensbedrohung zu einer Lebensbekundung gelangen kann? Kann er ein Gespräch sein, in dem Gott sich offenbart?

Offenbar spielen biblisch-theologische Tradition, philosophisch-naturwissenschaftliches Weltergreifen und -bewußtsein und persönliche Erfahrung positiv und negativ in den Aussagen zur Vorsehung Gottes mit. Das ist der Ertrag der bisherigen Streiflichter. Wir untersuchen nun im folgenden diese Aussagen und ihr Verhältnis an typischen Vertretern bestimmter Theologien. Die Auswahl geschah unter dem heuristischen Gesichtspunkt, bei Calvin die Schrifttheologie, bei Schleiermacher die Theologie des Bewußtseins, bei Barth die Theologie der Offenbarung und bei Sölle die Theologie der Erfahrung im Brennpunkt zu haben, was sich uns, freilich mit inhaltlichen Differenzierungen, bestätigt hat. Wir setzen dabei jeweils möglichst bei den Hauptwerken ein und lassen einen Überblick vorangehen, der bei Calvin v.a. die Gesichtspunkte seines Verständnisses in Theologie- und Forschungs-Geschichte, bei Barth die Gliederung seines theologischen Werkes und bei Sölle die grundlegende Interpretationsthese enthält. Der Schlußteil schließlich soll als systematische Skizze auch unabhängig davon gelesen werden können.

Als weiteres Problem für die Untersuchung stellt sich dann die Frage nach dem Ort der Vorsehungslehre im jeweiligen Gefüge eines theologischen Werks, um deren Funktion und Auswirkungen genau erfassen zu können. Die klassische Einordnung der Vorsehungslehre – als Teil der Lehre von Gott Vater als dem Allmächtigen nach Art. 1 des Apostolischen Credos – stellt mehr Fragen als sie klärt, nämlich die Fragen nach dem Zusammenhang von Vorsehung und Trinität, von Vorsehung, Schöpfung und Weltvollendung und Vorsehung, Erwählung und Gemeinde, um nur die wichtigsten zu nennen. Diesen innertheologischen Verhältnisbestimmungen nachzugehen ist gerade bei der Vorsehungslehre, die vom Zentraldogma bis zum Zentralfeind des Glaubens schwanken kann, von entscheidender Bedeutung. Wir könnten hier auf Wittgenstein verweisen, nach welchem «die Bedeutung eines Wortes sein Gebrauch in der Sprache» ist, und dies dahin erweitern, daß dies auch für einen theologischen locus im Gesamtgefüge der Theologie, des Denkens und der Alltagssprache einer Zeit gilt.

Wir erwarten von unseren Untersuchungen eine Klärung über die Möglichkeit einer heutigen Vorsehungslehre in reformierter Tradition. Wir denken dabei nicht an direkte Antworten auf die Fragen inhaltlicher Art, die wir in der Einleitung angerührt haben. Diese sollten zunächst einfach den Rahmen zeigen, in welchem, persönlich-biographisch und durch die gesellschaftlich-politische Aktualität bestimmt, die ersten Studien zu dieser Arbeit 1973 begonnen wurden. Daß wir von der Glaubenstradition nicht «Antwort auf alle Fragen», aber Leben zum Aushalten aller und zur Bewältigung möglichst vieler Fragen erwarten, deutet unser Titel «Vorsehung als Verheißung» an.

Teil I

GOTTES VORSEHUNG NACH CALVIN

1. Problemstellung und Übersicht

In der Calvin-Literatur der letzten 100 Jahre ist die Vorsehungslehre immer wieder Gegenstand ausführlicher Darstellung gewesen. Dabei lassen sich u. E. vier verschiedene Phasen der Einschätzung der Vorsehungslehre für das Ganze des theologischen Denkens Calvins erkennen.

1) Die älteren Darstellungen sehen in der Vorsehungslehre zusammen mit der Lehre von der doppelten Prädestination das Zentrum der Gotteslehre Calvins und damit das Zentrum seiner Theologie überhaupt. So stellt vor allem A. SCHWEIZER diesen Lehrkomplex als protestantisches Zentraldogma dar; verbunden mit dem Prinzip der Allwirksamkeit Gottes und der freien Gnade der Erlösung ist deshalb bei Calvin die Ehre Gottes in seinem Werk das letzte Ziel von Gottes Handeln (1). J. BOHATEC bringt in seiner bis heute grundlegenden Studie eine Fülle von Material über Calvins Denken im Rahmen der Problematik des Vorsehungsglaubens im 16. Jh. Er nennt Calvin geradezu den «Theologen der Vorsehung» (2). Er spricht von Providenz als Stamm- und Prädestination als Zentrallehre (3) in Annäherung an den Standpunkt von A. RITSCHL, der die Providenz als Lehre vom allgütigen Gott noch entschiedener ins Zentrum rückt, indem er die Prädestinationslehre als bloßes Anhängsel der Erlösungslehre abzuwerten sucht (4).

2) Die Auffassung von dem einen Materialprinzip der Theologie Calvins wird nach Beginn unseres Jahrhunderts in Frage gestellt (5), und damit die v. a. bei A. SCHWEIZER von Schleiermacher her bestimmte Interpretation der Theologie Calvins unter dem Gesichtspunkt eines einheitlichen religiösen Gedankensystems. Sie wird durch eine inhaltlich und geschichtlich mehr differenzierende Betrachtungsweise abgelöst. So sucht man nun die verschiedenen Schwerpunkte in Calvins Denken zu erfassen, ohne darin unbedingt

1) Alexander Schweizer, Die protestantischen Centraldogmen in ihrer Entwicklung innerhalb der reformirten Kirche, Bd. I, Zürich 1854, XIII und 16ff.

2) Bohatec 435.

3) ebda.

4) Vgl. zum Ganzen R. Seeberg, Lehrbuch der Dogmengeschichte, Bd. IV, 2 (1920), Nachdruck der 3. A. Graz 1954, 580–581, und Partee 126–145.

5) Vgl. zum folgenden H. Bauke, Die Probleme der Theologie Calvins, Leipzig 1922, 25–35, und Wendel 232.

eine bis ins letzte durchgeführte systematische Einheit zu postulieren. Die Vorsehungslehre wird damit zu einem theologischen Gedankenkomplex unter anderen. A. Lang spricht von den zwei Zentren Prädestination und Rechtfertigung (6), P. Wernle von (paulinischen) Zentraldogmen, unter welchen Prädestination und Providenz einen Hauptplatz einnehmen (7). R. Seeberg (8) und O. Ritschl (9) heben keinen Lehrkomplex besonders hervor, gehen aber immerhin in ihrer Darstellung der Theologie Calvins von Providenz und Prädestination aus, wobei für O. Ritschl die Prädestinationslehre an die Spitze von Calvins Theologie tritt (10), während sie für Seeberg eher deren Ziel angibt:

«Wie also überhaupt Gottes ewiger Ratschluß sein Wirken, dies Wirken aber das wirkliche Leben bestimmt, so bewirkt die Prädestination, daß die einen Menschen zum Glauben und zur Seligkeit kommen, die anderen dagegen keinen rechten und dauernden Glauben erlangen und der Verdammnis verfallen. Ist der göttliche Wille der ewige, aber zeitlich wirksame Grund allen Geschehens und geschieht es, daß die einen glauben und die anderen nicht glauben, so muß dies wie jenes seinen Grund an Gottes ewigem Ratschluß und seinem diesem entsprechenden Wirken an den Menschen haben. So hängt die Prädestinationslehre auf das engste zusammen mit der Auffassung der allwirksamen Providenz bei Calvin. Ja, sie ist eigentlich nur ein Spezialfall der letzteren oder deren Anwendung auf die empirische Tatsache, daß es Sünder gibt, die glauben und dadurch gerettet werden und andere, die nicht glauben und dadurch verloren gehen ... die gesamte Lehre Calvins von diesem Punkt beherrscht ... hat nichts anderes zum Gegenstand als den Nachweis, wie und wodurch der ewige Wille Gottes sich an den Erwählten verwirklicht» (11).

6) A. Lang, Rechtfertigung und Heiligung nach Calvin, Gütersloh 1911, 28. Weitere Hinweise bei Bauke aaO 26.

7) S. Lit.-Verz.

8) Seeberg aaO 551–643, bes. 570 ff. (Gotteslehre Calvins).

9) O. Ritschl, Dogmengeschichte des Protestantismus, Bd. III, 2, Göttingen 1926, 156–242.

10) Ritschl aaO 163–167. In seiner Darstellung Calvins bringt er die Prädestinationslehre vor der Providenzlehre. Bei Seeberg ist es umgekehrt.

11) Seeberg aaO 580. H. E. Weber, Reformation, Orthodoxie und Rationalismus, I, 1, Gütersloh 1937, kommt trotz der Betonung des neuen Rückgriffs auf den reformatorischen Ansatz des «Lebendigen Gotteswortes» in seiner Darstellung nicht über Seeberg hinaus. Auch er stellt ein Hindrängen des Systems zum Prädestinatianismus fest (240 ff.) und spricht von Calvins gesetzlich-lehrhaftem Biblizismus (230 ff.). Schon Seeberg hatte (aaO 613) Calvins Bibelverständnis als legalistisch, auf spätmittelalterlich-occamistischen Grundlagen beruhend, dargestellt.

Dieses Zitat faßt das Ergebnis der älteren Calvin-Forschung einigermaßen adäquat zusammen und zeichnet zugleich das Bild, das sich bis heute als populäres Verständnis der Lehre Calvins gehalten hat. Es beruht auf der Voraussetzung eines Ausgehens vom Verhältnis Gott–Mensch, das sich zwar auf Calvins Grund-Satz der Theologie als Erkenntnis Gottes und seiner selbst berufen kann, aber der Frage nach dem Wirklich-Werden dieser Erkenntnis keinen fundamental-theologischen Charakter beigemessen hat. So kann man aber bei Calvin eben doch letztlich nichts anderes als ein metaphysisch-heilsgeschichtliches Systemdenken finden.

3) Die unter dem Einfluß Karl Barths stehende, Mitte der 20er-Jahre einsetzende 3. Phase versteht Calvin entscheidend als Schrifttheologen. Die Bibel und damit also Gottes Offenbarung des Heils werden als grundlegend für Calvins Theologie betrachtet (12). Damit wird nicht mehr die Gotteslehre, sondern die Christusoffenbarung in den Mittelpunkt der Theologie Calvins gerückt. Entsprechend erscheint die Vorsehungslehre nur noch als ein weniger bedeutender Lehrpunkt unter andern, während die Prädestination – nun als Erwählung in Christus – erneut das Interesse auf sich zieht (13). Jacobs würdigt es geradezu als Krönung der theologischen Entwicklung Calvins, daß er schließlich Providenz- und Prädestinationslehre voneinander trennte: Dies wird in der Entwicklung der Darstellung dieser beiden Lehren in Calvins Hauptwerk, der Institutio christianae religionis (Unterricht im christlichen Glauben), erstmals erschienen 1536, sichtbar. 1536 gab es bei Calvin über beides nur vereinzelte Äußerungen. In den Ausgaben der Institutio von 1539–1551 wurden Prädestination und Providenz in einem Kapitel gemeinsam behandelt, 1559 aber, in der letzten Ausgabe der Institutio, plazierte Calvin die Providenzlehre an das Ende der Gotteslehre, die Prädestinationslehre an das Ende von Soteriologie und Christologie. Damit ist nach Jacobs klargeworden, wie beide Lehraussagen bei Calvin offenbar verschiedene Funktion haben: So wie die Providenz Gott erst recht als den Schöpfer erkennen läßt, so erschließt auch die Prädestination erst recht die Rechtfertigung um Christi willen (14). Demzufolge wird in den beiden wichtigsten neueren Gesamtdarstellungen der Theologie Calvins, denjenigen von Niesel (15) und Wendel (16), die Vorsehungslehre als ein Abschnitt der Gotteslehre behandelt, als Ausführung der Aussage des 1. Arti-

12) Niesel 23 ff.
13) Niesel 19.
14) S. Lit.-Verz.
15) = 12).
16) S. Lit.-Verz.

kels des Apostolischen Bekenntnisses zu Gott Vater dem Allmächtigen. Dabei muß natürlich auch die Frage des Zusammenhangs der Vorsehungslehre mit dem in dieser Epoche neu erkannten Erkenntnisprinzip der biblischen Christusoffenbarung auftauchen. Beide Autoren beginnen – dem Aufbau der Institutio 1559 und der Kirchlichen Dogmatik Karl Barths entsprechend – mit der Darstellung von Calvins Aussagen über Gotteserkenntnis, Wort Gottes und Trinität und kommen dann zu Schöpfung und Vorsehung. WENDEL begnügt sich bei der Vorsehungslehre mit der Darstellung der entsprechenden Kapitel der Institutio (Buch I, 16–18). Er stellt am Anfang des Abschnittes über die Schöpfung allerdings noch einmal mit einem grundlegenden Satz Calvins fest, daß Christus der Mittler auch für die Erkenntnis Gottes des Vaters und damit der Vorsehung Gottes ist. Calvin hat dazu geschrieben:

«Denn obgleich kein Mensch in dieser Zerstörung und Verderbnis der Menschheit jemals spürt, daß Gott sein Vater oder gar sein Retter ist, ehe denn Christus ins Mittel tritt, um uns den Frieden mit Gott zu erringen, so ist es doch etwas anderes, Gott als den Schöpfer zu erkennen, der uns mit seiner Macht trägt, mit seiner Vorsehung leitet, uns mit seiner Güte erhält und ernährt und uns fortgesetzt mit allerlei Segnungen bedenkt, und wiederum etwas anderes, die Gnade der Versöhnung zu empfangen und zu ergreifen, wie Gott sie uns in Christus zukommen läßt» (17).

NIESEL definiert Calvins Verständnis von Vorsehung als Fürsorge für das Geschaffene, nach Gen. 22, 8: Deus providebit (18). Er betont:

«Gott kann nach Calvin als Schöpfer alles Seins in Wahrheit nur bekannt werden, wenn wir seine Kraft zugleich als eine in der Gegenwart wirksame anerkennen. ... Darum gibt es in der Welt keinen Zufall, aber auch kein Fatum. Gott ist und bleibt als der Schöpfer der Allmächtige. ... Seine gegenwärtige Schöpferkraft wirkt sich in dreierlei Hinsicht aus: Gott allein erhält das Geschaffene in seinem Bestande; ohne ihn würde es im Nichts versinken. Er schenkt täglich allen Dingen an Wirksamkeit, soviel er will; ohne ihn könnten sie sich weder regen noch bewegen. Und schließlich lenkt er in seiner unerforschlichen Weisheit alles zu seinem Ziele» (19).

Die Systematisierung der Dreiteilung des Vorsehungswirkens ist bei NIE-

17) Wendel 145 (Inst. I, 2, 1). Dieses Zitat entspricht nicht der Übersetzung O. Webers (S. Lit.-Verz.), die sonst in unserer Arbeit durchgängig verwendet wird.

18) Wendel 69, nach Inst. I, 14, 4. Diese biblische Herleitung wurde von Calvin erst 1559 zugefügt!

19) Wendel 68–69. Parker, 37, macht darauf aufmerksam, daß Calvin im Begriff der «opera Dei» «all the creative and providential activity of God» zusammenfaßt.

SEL aus der Sicht der protestantischen Orthodoxie und Karl Barths erfolgt, wo die Vorsehung Gottes als conservatio, concursus und gubernatio – Erhalten, Begleiten und Regieren übersetzt Barth in KD III, 3 – dargestellt wird. Der Aufriß Calvins in Inst. I, 16, 1–4 kommt dem in der Sache schon überraschend nahe, wenn auch Calvin in diesem Zusammenhang gerade nicht von einem dreifachen Wesen der Vorsehung Gottes spricht (20).

Neben dem allgemeinen Vorsehungswirken Gottes betont NIESEL die besondere Ausrichtung des Handelns Gottes auf die Kirche als eigentlichem Schauplatz der Providenz Gottes. Während er aber durchaus die christologische Begründung der Lehre von der Kirche betont, hat er dies für die Vorsehungslehre selbst ursprünglich zwar auch vertreten, diese Anschauung aber unter dem Einfluß der radikalen Ablehnung durch Karl Barth wieder zurückgenommen (21).

Zu einem ähnlichen Urteil über Christologie und Vorsehungslehre kommt neurdings auch REUTER. Calvins Gotteslehre wurzelt nach seinen Untersuchungen auf den scotistischen und augustinischen Theologen des späteren Mittelalters. «Nennt Calvin die göttliche Vorsehung väterlich, so nicht deshalb, weil sie ihren Ursprung in der Sünderliebe des Vaters Jesu Christi hat, sondern um des wohlwollenden Ermessen willen, mit dem Gott jeweils die Welt samt ihren menschlichen Geschöpfen und auch das Ergehen seiner Söhne, der auserwählten Gläubigen und Frommen, lenken kann. Angesichts der Unterscheidung von Schöpfungs- und Heilslehre, die Calvin innehält, ist eine christologische Interpretation seiner Vorsehungslehre nicht gestattet» (22).

Verschiedene Arbeiten befassen sich in dieser Zeit speziell mit dem Verhältnis von göttlicher Vorsehung und menschlicher Freiheit und Verantwortung, v.a. im Blick auf die Sünde und das Böse.

Bei GERBER wird Calvins Vorsehungslehre in Inst. I, 16–18 als biblisch begründet dargestellt, und auch die ihr innewohnenden Antinomien werden als Antinomien innerhalb des biblischen Zeugnisses selbst verstanden. Die Vorwürfe gegen Gottes Ungerechtigkeit (Leiden der Menschen) und gegen Gott als Urheber des Bösen (verordneter Fall Adams, Dekret der Erwählung und Verwerfung) werden also damit beantwortet, daß Calvin 2 biblische, in sich widersprechende Linien beibehält. Es sind dies einerseits Verantwortung und Schuld des Menschen, anderseits Gottes Anordnung in al-

20) Vgl. dazu später den Beitrag von Krusche Anm. 36 und 37.

21) S. dazu Niesel, Die Theologie Calvins, 1. A., 66–67, dann K. Barth, Kirchliche Dogmatik, II, 3, 34 und Niesel 2. A. 70.

22) K. Reuter, Das Grundverständnis der Theologie Calvins, Beiträge zur Geschichte und Lehre der reformierten Kirche 15, Neukirchen 1963, 173.

lem Geschehen, Erwählung und Verwerfung durch Gott und Gebrauch des Bösen zu Gottes Plan (23). HAUCK betrachtet das Verhältnis von Vorsehung und Freiheit für das Leben des Christen und sieht es nicht als Gegensatz, sondern als Grundlage und Auswirkung. Das Ziel der Verkündigung der Christusbotschaft, die den Glauben an Gottes Vorsehungswalten vermittelt, ist die Freiheit der Kinder Gottes als ein Stück Gottesreich (24). REUTERS Gesamturteil lautet: «Immer aber bewegt sich Calvins Dialektik zwischen der vollen Berechtigung der alles allein wirkenden Vorsehung Gottes und der ebenso vollen Berechtigung der als eigen zu betrachtenden Entscheidung jedwedes Menschen und seiner Verantwortlichkeit» (25).

Die Überwindung dieses Paradoxes soll dabei im Gebet geschehen (26) oder der Glaube soll diese Antinomie zum Verschwinden bringen (27). Die Einheit, die der Mensch im denkenden Betrachten des göttlichen Zeugnisses nicht findet, soll sich demnach bei ihm selbst im persönlichen Vollzug des Christenlebens einstellen.

4) Von einer 4. Phase kann im strengen Sinn nicht gesprochen werden. Wir fassen darunter neue Forschungsrichtungen in der Bearbeitung Calvins, die auch für das Thema der Vorsehung bei Calvin fruchtbar geworden sind

a) Bei der genaueren Untersuchung der Schriftauslegung Calvins (28), bei der Analyse der Auseinandersetzung Calvins mit den antiken philosophischen Lehren in zeitgenössisch-humanistischem Gewande (29) sowie bei der erneuten Untersuchung seines Werdegangs zum Reformator (30) bekommt das Thema der Vorsehung neues Gewicht. Dabei ist charakteristisch, daß nicht mehr die Vorsehungslehre als ein dogmatischer Paragraph betrachtet und dessen Einordnung in ein Gedankensystem Calvins versucht wird. Es wird dabei vielmehr sichtbar, wie der Vorsehungsglaube als eine Art Lebenselement das ganze Denken Calvins durchzieht und eine genaue Entsprechung

23) H. Gerber, La doctrine calvinienne de la Providence, Thèse Neuchâtel 1940 (Masch. schr.), 80ff. Der bei Gerber sporadisch auch verwendete Begriff der Zulassung wird von Calvin in Inst. I, 18, 1 scharf abgelehnt. Calvin kann höchstens selten einmal von permissio sprechen (wie in Inst. I, 17, 7/OS 3, 210, 27. 34).

24) Hauck 86–89.

25) Hauck 182.

26) Hauck 172. Vgl. auch Niesel 159, wo Gebet und «Fürsehung» einander zugeordnet werden; weiter Bohatec 433–435 und Locher 106ff. sowie 201–203 zur Wiedergabe von providentia durch fürsichtigkeyt.

27) Gerber aaO 96. Bohatec sagt dasselbe von der «Frömmigkeit».

28) S. Lit.-Verz.

29) Partee: «Nearly everything Calvin wrote could be used to illustrate his understanding of God's providence.» (Nur in der Dissertation 208, fehlt im rev. Buch.)

30) S. Lit.-Verz.

zu dem schon immer festgestellten Grundmotiv der Ehre Gottes als letztem Ziel allen Geschehens bildet. «Zur Eigenart des Denkens Calvins gehört diese demütige Verehrung des Vorsehungswaltens Gottes – man wird wohl noch richtiger sagen: sie ist ein Grundzug seiner Frömmigkeit, die sich auf die Theologie auswirkt» schreibt SCHELLONG (31) und PARTEE geht bis zu dem Urteil: «Nahezu alles, was Calvin schrieb, könnte zur Darstellung seines Verständnisses von Gottes Vorsehung verwendet werden» (32). Es taucht hier so etwas wie eine theologisch-biographische Gesamtbetrachtung von Calvins Leben und Denken im Lichte des Vorsehungsglaubens auf.

b) Von einem ganz andern Ansatz her kommt KRUSCHE zu einer ähnlich umfassenden Wertung von Calvins Vorsehungslehre. Er kritisiert, daß die bisherigen Darstellungen der calvinischen Vorsehungslehre durchwegs über deren pneumatologische Seite hinweggehen und sich direkt dem Geschichts- und Freiheitsproblem zuwenden. Statt dessen muß die Zuordnung des Wirkens Gottes in seiner Vorsehung zu Calvins Lehre vom Hl. Geist im besonderen und zum trinitarischen Gottesverständnis allgemein beachtet werden (33). Der Hl. Geist ist bei Calvin gleichsam die «Hand Gottes» (34). Bei Calvin muß von einer «Allwirksamkeit Gottes im Geist» gesprochen werden. Somit ist der Hl. Geist auch der Bewirker von Vorsehung und Erwählung.

«Er ist das Erste als Geist des ewigen Sohnes, das zweite als der Geist des Mittlers Jesus Christus. Die Stellung der Providenz- und der Prädestinationslehre in der letzten Ausgabe der Institutio zeigt das aufs deutlichste; weil es der Geist des ewigen sermo ist, der das Handeln der göttlichen Vorsehung zur Wirkung bringt, kann die Providenzlehre im Anschluß an die Trinitätslehre (sic!) entwickelt werden; weil es der Geist des Mittlers Jesus Christus ist, der Gottes Erwählungshandeln wirksam macht, muß die Prädestinationslehre den Abschluß der Christologie und Pneumatologie bilden» (35).

Ebenso entspricht das Grundschema der Lehre vom Hl. Geist dem Grundschema der Vorsehungslehre bei Calvin. So wie der Heilige Geist universell in der Erhaltung aller Kreaturen, speziell in den Menschen und heiligend in den Erwählten wirkt (36), so beschreibt Calvin auch das Wirken der Vorsehung als «in erster Linie das allgemeine Weltregiment, wodurch alles gehegt und belebt wird, dann die besondere Sorge um das Menschengeschlecht

31) Schellong, 327, weist zu Recht darauf hin, daß Bohatec dies schon 1909 herausgearbeitet hat.

32) aaO 208.

33) S. Lit.-Verz.

34) Krusche 11.

35) Krusche 14.

36) OC 49, 147 zu Röm. 8, 14, und OC 25, 22 zu Num. 16, 22.

und schließlich das väterliche Walten, mit welchem er seine Kirche beschützt» (37).

Am Schluß einer solchen Übersicht drängt sich die Frage geradezu auf, ob sich im Gang der Forschung nicht ein gewisser Kreislauf vollzogen hat und die Calvinsche Theologie wieder unter einer ähnlichen Gesamtbetrachtung wie vor 100 Jahren erscheint – wenn nun auch unter pneumatologisch-dynamischen Gesichtspunkten und nicht mehr unter theistisch-statischen. Freilich ist das Bild Calvins als Theologe in diesen 100 Jahren ungleich lebendiger und umfassender geworden. Die entsprechenden Fortschritte von einer Phase der Forschung zur nächsten lassen sich denn auch in Beziehung setzen zu den benutzten und als Schwerpunkt inhaltlich bevorzugten Quellen bei Calvin. Die Phasen 1 und 2 gingen vor allem vom Inhalt der Institutio von 1539–1551 aus, wo Prädestination und Providenz ein geschlossenes thematisches Kapitel, sozusagen eine Lehre von Gottes Wirken en bloc, darstellten. Phase 3 stützte sich v.a. auf die Institutio in ihrer letzten Ausgabe von 1559 und argumentierte nicht nur mit deren Inhalt, sondern ließ sich vom theologischen Aufbau leiten. Phase 4 schließlich berücksichtigt in breitem Maß die frühen Schriften Calvins inkl. des noch vor seiner endgültigen Wende zur Reformation geschriebenen Kommentars zu Senecas De clementia und in größter Breite auch die seit der 2. Phase immer mehr beachteten Bibelkommentare. So wird man zunächst feststellen können, daß die verschiedene Wertung und Einordnung der Vorsehungslehre in der Theologie Calvins auf drei Wurzeln zurückgeht:

a) die zeitgeschichtliche theologische Situation des 19. und 20. Jh.

b) die immer ausgedehntere Kenntnis der von Calvin verarbeiteten Traditionen und des humanistischen «Zeitgeistes» im 16. Jh.

c) die bei Calvin selbst gebotene Möglichkeit, sich aufgrund der verschiedenen Behandlung des Themas zu verschiedenen Zeiten seines Lebens sich die jeweils zusagende als maßgebend zu wählen.

Tatsächlich ist dies mehr oder weniger geschehen, wann immer Calvins Vorsehungslehre auch aktuell-systematischen Lehr- oder Orientierungswert bekommen hat. Vom dogmengeschichtlichen Standpunkt aus bleibt dann allerdings die Frage offen, ob sich Calvins Denken eben entsprechend gewandelt hat oder ob eine der Entwicklungsstufen als maßgeblich für die übrigen Äußerungen angesehen werden muß. Sie kann von einer systemati-

37) OC 8,349 (aus De aeterna praedestinatione), ähnl. OC 7,186ff.: «primo loco ... generalis mundi gubernatio, qua foventur et vegetantur omnia ... tum peculiaris generis humani cura in mentem nobis venire debet ... ultimo praesidium paternum, quo ecclesiam suam tuetur ...»

sierenden Analyse her nicht beantwortet werden, da diese die Kriterien bereits mehr oder weniger mitbringt. Was freilich dadurch geleistet wurde, ist – innerhalb des jeweils zu diskutierenden systematisierenden Rahmens – eine Aufarbeitung aller sich auf die Vorsehung Gottes beziehenden Äußerungen und Textkomplexe Calvins. Es scheint uns aber, als ob es nötig wäre, sie einmal losgelöst von einem systematischen Rahmen, sei es dem einer zeitgenössischen Theologie oder demjenigen Calvins selbst, zu betrachten.

In Übernahme eines Ausdrucks der formgeschichtlichen Forschung am Alten und Neuen Testament versuchen wir deshalb im Folgenden, sozusagen nach dem «Sitz im Leben» von Calvins Betrachtung der Vorsehung Gottes zu fragen. Wir führen dabei Ansätze weiter, die seit der 2. Phase der Forschung sich immer wieder zum Wort meldeten, aber im Rahmen der systematischen Darstellungen nicht ihr eigenes Gewicht für eine andere Sicht Calvins bekommen haben. Wir wollen also aus dem gesamten Stoff einige ausgewählte Schwerpunkte verfolgen, um die sich bei Calvin die Aussagen über Gottes Vorsehung gruppieren. Wir wählen v.a. solche, die sich durch sein systematisches Werk während der gesamten Zeit seines Wirkens als Reformator durchhalten, wobei wir Briefe und Bibelauslegung von Fall zu Fall beiziehen. Danach soll zusammenfassend zu zeigen versucht werden, welche Bereiche des Gottes- und Weltverständnisses des Glaubens und damit der Lebenswirklichkeit des Christen Calvin mit der theologischen Tradition und Begrifflichkeit der «Vorsehung Gottes» anspricht und zu durchdenken sucht. Damit geht es aber letztlich auch um die Frage, welchen Gott Calvin als den Gott der göttlichen Vorsehung verkündigt und erfährt.

2. Inhalt und Gestalt der Vorsehungslehre Calvins

a) Gott und Welt

Die Vorsehungslehre wird meist im Gegensatz zum Zufalls- oder Schicksalsglauben dargestellt, sowohl bei Calvin wie auch in Werken heutiger systematischer Theologie (38). Dabei stellt der biblische Gottesglaube sozusagen die Mitte dar, und radikaler Determinismus resp. Indeterminismus –

38) So K. Barth, Kirchliche Dogmatik, III, 3, 183–185, P. Tillich, Systematische Theologie, I, Stuttgart 3. A. 1965, 306–307, und H. Ott, Vorsehung in: Theologie. VI × 12 Hauptbegriffe, Stuttgart 1967, 213. Differenziert und näher bei Calvin O. Weber in: Grundlagen der Dogmatik, I, Neukirchen 1955, 554. 560–567. Direkt zu Calvin vgl. Partee 95f. und Krusche 31f.

Ausgeliefertsein des Menschen an das Geschick oder an die Freiheit – mit theistischer oder atheistischer metaphysischer Grundlegung erscheinen als die beiden verderblichen Irrtümer zur Rechten und zur Linken.

Diese gebräuchliche Vereinfachung trifft so für Calvin nicht das Grundlegende seiner Vorsehungslehre. Das Verhältnis beider Größen ist je nach Zusammenhang nicht immer dasselbe (39). In der Institutio wendet sich Calvin seit 1539 im Zusammenhang der Ausführungen über Schöpfung und Vorsehung gleichermaßen gegen beide Seiten. Er bekämpft einerseits unter dem Stichwort der Epikureer die Vertreter einer Weltanschauung, bei der die Götter nicht in den Ablauf der Ereignisse eingreifen, sondern ein abgeschiedenes glückseliges Leben führen. Entsprechend streben die Epikureer dies für sich auf Erden an. Sie betrachten Weltentstehen und -geschehen als ein «Gemisch von Atomen» und leugnen damit Schöpfung und Vorsehung als ein planvolles Wirken Gottes, an dessen Stelle sie den Glauben an den Zufall setzen (40). – Anderseits wendet sich Calvin auch gegen die Lehrmeinung der Stoiker, in diesem Zusammenhang vor allem gegen den Ausdruck Schicksal (fatum) und gegen die Ansicht von der unentrinnbar festgelegten Notwendigkeit (necessitas) allen Geschehens, die aus der andauernden Verflochtenheit aller Ursachen (nexus causarum) herkommt (41). Es fällt aber hier schon auf, daß die Abgrenzung gegen die Epikureer zur Gesamtauslegung des Schöpfungs- und Vorsehungsglaubens gehört, ja diese seit der ersten Institutio von 1536 erst eigentlich ausführlich und ausführlicher werden läßt (42). Die Abgrenzung gegen den stoischen Determinismus beschränkt sich – nach ihrem Auftauchen 1539 – auf wenige gleichbleibende Abschnitte (43). Deshalb hat man die Dinge oft so dargestellt, als ob Calvin trotz der beidseitigen Abgrenzung in der Sache dem stoischen Glauben an eine alles durchwaltende Weltvernunft mit seiner Lehre von einer alles erfassenden göttlichen Vorsehung eben näher stehe als dem Epikureismus. Das ist nicht unzutreffend, sagt aber noch nicht genug über das wesentlichste

39) Vgl. zum ganzen Abschnitt 2a) v.a. den Aufsatz von Bohatec, Saxer 160–171, Partee 101ff., 117ff.

40) So v.a. Inst. I, 5,4 u. 5 und Inst. I, 16,2. Die angeführten Begriffe finden sich OS III, 48, 18 und OS III, 188, 31–35.

41) Inst. I, 16, 8. Die angeführten Begriffe finden sich OS III, 198, 24–25.

42) Vgl. dazu das Wachsen des Stoffes in Inst. I, 4 u. 5 (OS III, 40–60) in allen Ausgaben von 1536–1559. S. auch Anm. 48.

43) Explizit in der Institutio nur I, 16, 8–9 (1539). Partee 123–124 gibt noch 2 weitere Belege an: Comm. Acta 17, 28/OC 48, 405–406 und OC 6, 257 (aus: Defensio sanae et orthodoxae doctrinae ... Adversus Calumniae Alberti Pighii), inhaltlich aufgenommen in Inst. I, 16, 1 (vgl. dazu Wendel 153).

Anliegen Calvins aus. Er kämpft nicht so sehr um eine korrekte christliche Kosmologie, sondern vielmehr gegen eine Lebenshaltung, die mit Hilfe einer philosophischen Kosmologie die Verantwortung von sich selbst auf Zufall, Glück oder Schicksal abschiebt und sich damit von einem persönlichen Anspruch Gottes distanziert.

Dies wird vor allem aus jenen Äußerungen ersichtlich, in welchen Calvin gegen den Glauben an das Glück (fortune) kämpft. Darin treffen sich in der Lebenshaltung des Menschen des 16. Jh. epikureischer Zufallsglaube und stoische Schicksalsergebenheit. In der Praxis zeigt sich dies in Calvins Schrift gegen die Astrologie (44), welche damals eine Hochblüte erlebte, und in vielen Predigten Calvins. Ein Beispiel: Im Anschluß an das Gleichnis Jeremias vom Ton in des Töpfers Hand, der auf der Scheibe geformt wird, wie es ihm gefällt, prägt Calvin dieses Bild im Hinblick auf eine allen vertraute symbolische Darstellung des Lebens folgendermaßen um:

«Gott hält das Rad, um uns zu formen, wie es ihm gut scheint. ... Dies ist kein Glücksrad, sondern aus seiner Gnade leitet Gott alles in Billigkeit (en équité)» (45). Wenn wir nun in diesem Zusammenhang auf die Anfänge der Theologie Calvins zurückgehen, so finden wir schon in seiner ersten, noch vor der endgültigen Wende zur Reformation geschriebenen Schrift, im Kommentar zu Senecas De clementia von 1532, eine grundlegende Aussage zu unserm Thema. Es geht dort gleich zu Beginn um die Rolle des Fürsten als desjenigen, der nach Seneca «erwählt wurde, auf Erden die Rolle der Götter zu spielen» (46). Calvin kommentiert: «Dies ist ein von der Stoa abhängiger Satz. Sie schreiben den Göttern die Besorgung der menschlichen Angelegenheiten zu, versichern die Existenz einer Vorsehung und überlassen nichts dem Zufallsglück. Die Epikureer, auch wenn sie die Götter nicht leugnen, kommen dem doch sehr nahe, wenn sie davon faseln, wie diese, dem Genuß ergeben, müßig, sich um die Sterblichen nicht kümmern, damit nur ja ihnen selbst an ihren Genüssen nichts abgehe. Die Vorsehung der Stoiker verlachen sie wie ein prophezeiendes altes Weib. Sie halten alle Ereignisse für zufällig. Wer sich freilich Stellvertreter der Götter nennt, der anerkennt allerdings eine göttliche Vorsehung für die Nöte der Menschen.»

44) «Advertissement contre l'astrologie» OC 7, 514–542 und Inst. I, 16, 3, vgl. dazu Bohatec 356–359.

45) Supplementa Calviniana, Sermons inédits Bd. VI, ed. R. Peter, Neukirchen 1971, Predigt 22, 147, 23–29 zu Jer. 18, 1ff. Ähnlich das Bild des Steuermanns für Gott in Inst. I, 16, 1; vgl. dazu Wendel 153. Zu «fortuna» s. Inst. I, 16, 9 u. III, 7, 10.

46) Seneca, De clementia/Über die Güte, lat.-dtsch., ed. K. Büchner Reclam Stuttgart 1970, I (2) 4–5: «Ego ex omnibus mortalibus placui electusque eum, qui in terris deorum vice fungerer.»

Nach verschiedenen Belegen antiker Autoren, in welchen die Fürsten z.B. nach Plutarch Diener Gottes (ministros Dei) genannt werden, schließt Calvin:

«Jenes ist nämlich (auch) das Bekenntnis unserer Religion: Es gibt keine Herrschermacht außer von Gott, und die bestehenden sind von Gott eingesetzt, nach Röm. 13» (47). Wir sehen hier Calvin die epikureische Denkweise ablehnen, indem er ihr die stoische Providenzlehre als christlich entgegenstellt. Es ist aber fraglich, ob damit Calvin das Ganze der stoischen Providenzlehre für christlich ausgibt und diesen Irrtum später korrigieren mußte, oder ob ihm hier nicht vielmehr die Ansicht der Stoa in einem bestimmten Lehrpunkt vom Christentum her nicht nur als akzeptabel, sondern als der Aufnahme und Unterstützung wert vorkam und gelegen kam. Es kam ihm hier wie später offenbar auf die Betonung des Waltens Gottes in der Geschichte und der damit verbundenen Verantwortung des Menschen, speziell des Fürsten, für sein Handeln an, nicht um eine allgemeine Providenz. Dem entspricht das ständige Wirken Gottes in der Welt nach dem biblischen Zeugnis.

In der Institutio wendet sich Calvin deshalb von Anfang an in der Auslegung des 1. Artikels des Glaubensbekenntnisses gegen die epikureische Vorstellung eines müßigen Gottes, die der biblischen Auffassung der Welt-

47) «Haec autem ratio ex opinione Stoicorum pendet, qui diis rerum humanarum procurationem tribuunt, providentiam asserunt, nihil fortunae temeritati relinquunt. Epicurei tametsi deos non negant, at, quod proximum est, voluptarios nescio quos somniant, otiosos, mortalia non curantes, ne quid voluptatibus suis decedat, pronoean Stoicorum rident quasi anum fatidicum. Omnia fortuito casu contingere putant. Qui vero se deorum vicarium profitetur, is nimirum fatetur deos humanis necessitatibus providere ...

(Itaque vere quis dixerit ut ait Plutarchus de doctrina principum, principes ministro esse Dei, ad salutem et curam hominum ...)

Est enim illa confessio religionis nostrae, non esse potestatem nisi a Deo, et quae sunt a Deo ordinatas esse, ad Rom. XIII.» OC 5, 18, vgl. dazu Saxer 160/167 und Partee 122, ebenso: «Calvins Commentary on Seneca's De clementia», ed. and transl. by F. L. Battles and A. E. Hugo, Leiden 1969, 28–31. Dort wird als Vorbild auf den Abschnitt Zwinglis in seinem «Commentarius» über den Magistrat verwiesen, aber falsch zit. als Z III, 886 ff. Der Abschnitt 27 steht 867–888, die Exegese von Röm. 13, 880–885. Inhaltlich am ehesten als Calvins Vorbild kommt Zwinglis Verbindung von providentia mit der Stellung der Fürsten in Z III, 881 in Frage: «Quandoquidem audiunt se dei providentia in hunc locum evectos, nihil admittant, quod eum dedeceat, qui loco dei sedet. Et ob oculos semper versent, a condito mundo, qui violentissime dominati sunt, horum imperia brevissima fuisse ...»

Auch Calvin kennt die Mahnung an die Herrscher, vor Gottes Gericht Respekt zu haben, die allzu optimistisch-geschichtsphilosophische Begründung Zwinglis übernimmt

regierung Gottes direkt entgegengesetzt ist (48). Dabei zielt er gegen die Unterdrückung eines natürlichen Empfindens für Gott und seine Gesetze in einem ethisch verantwortungslosen Leben. Dies ist auch die Thematik der Einleitungskapitel des Römerbriefes. Schon längst vor der Abfassung seines Kommentars, im Vorwort zur Bibelübersetzung Olivetans, die vor der ersten Institutio geschrieben wurde, führt Calvin diese Thematik breit aus und stellt dabei Blindheit gegen Gott und Verhärtung gegen seine Gebote zusammen (49). In seinen Bibelauslegungen ist es neben dem Kommentar zur Apostelgeschichte besonders der Psalmenkommentar, wo Calvin immer wieder auf den Vorsehungsglauben zu sprechen kommt, dessen Leugnung Leugnung des biblischen Gottes überhaupt ist (50). Ebenso ist ein theoretisch-philosophisches Wissen um Gott ohne Glaube an die Vorsehung Gottes sinnlos (51). Unter den Predigten sind es besonders diejenigen über das Buch Hiob, wo Calvin Fragen des Vorsehungsglaubens erörtert und dabei explizit biblischen Glauben und philosophische Ansichten gegenüberstellt. Wir zeigen dies zum Schluß dieses Abschnittes mit einigen typischen Stellen. Sie leiten zugleich, indem sie auch bereits das Ergehen der Gläubigen mit ins Auge fassen, zum zweiten Abschnitt über. Dieser seelsorgerliche Aspekt ist das Hauptinteresse Calvins, auch wenn er auf der Ebene der Vorstellungen von Gott in der Bibel resp. den philosophischen Weltanschauungen argumentiert. So wehrt Calvin z. B. einen Deismus ab, der die Welt von Gott geschaffen sein läßt, deren Fortgang aber in die Hand des Menschen gelegt haben will:

«Die Philosophen meinen zwar: Unsere Erschaffung, unsere Gestaltung,

er hingegen u.W. nirgends. Vgl. dazu den Anfang von Abschnitt 2b) dieser Arbeit und Inst. IV, 20, 31. Für andere mögliche Vorbilder Calvins vgl. Saxer 195–197.

48) OS I, 75 (1536), aufgenommen 1539 in Kp. IV (nachher VI), 27 = Inst. I, 16, 3 und in Kp. VIII (nachher XIV), 38 = Inst. I, 16, 4. Dazu kommt 1539 die Argumentation nach Röm. 1, 19 in Kp. 1, 9–11 = 1559 Inst. I, 5, 1 (u. ff.). (Die Synopse in OC I, 5. LI gibt fälschl. = I, 6.) D. h. ab 1539 erscheinen die Aussagen über Vorsehung in 3 Zusammenhängen an 3 verschiedenen Stellen, als Darlegungen zur Heilsgeschichte aufgrund des Römerbriefs, als Auslegung des Credo-Begriffs «allmächtig» und als Begründung der besonderen Vorsehung Gottes gegenüber der Philosophie.

49) OC 9, 795. Der erste Teil des Vorworts ist genau entsprechend dem heilsgeschichtlichen Schema des Römerbriefs aufgebaut, der also nicht erst 1539, wie meist behauptet wird, seinen entscheidenden Einfluß auf Calvins Theologie auszuüben begann.

50) Belege bei Saxer, 169–170 und Partee 77, 99, 101 f. Versch. Autoren heben hervor, daß Calvin das Wirken der göttlichen Vorsehung aus der Bibel fast ausschließlich mit Beispielen aus dem Alten Testament begründet. Vgl. dazu etwa Inst. I, 17, 7 u. 14.

51) Predigt zu Hiob 8, 1–6/OC 33, 371–372. Calvin fordert «nous devons sentir de luy par expérience» (372).

unser Dasein verdanken wir Gott, aber wenn er uns erst in Gang gebracht hat, so leitet und regiert ein jeder sich selbst. So verdunkeln sie Gottes Güte und Kraft ... Nein, er bleibt allezeit bei uns. Er hält seine Hand ausgereckt, um uns ständig mit seiner Kraft zu erfüllen, daß wir nicht vergehen ... Noch viel mehr aber ist Gott zu loben, weil es ihm gefallen hat, uns zu erneuern durch seine unendliche Güte, weil er sein Ebenbild in uns wiederhergestellt hat und uns gleichsam an seiner Hand leitet, bis wir unsern Lauf vollendet haben» (52).

Deshalb gibt es auch keine bloße Zulassung des Bösen und der Anfechtung des Menschen durch Gott. Auch dabei ist Gott nicht «müßig», sondern die Schrift

«meint eine wirksame Allmacht Gottes, die in allen Dingen gegenwärtig ist, so daß ohne seine Anordnung nichts geschieht. In diesem Sinne ist Gott allmächtig, und wer die Vorsehung Gottes zunichte machen oder einschränken will, der verneint den ersten Artikel unseres Glaubens» (53). Calvin gibt zu, daß die Erfahrung diesen Vorsehungsglauben auf härteste Zerreißproben stellt. Gegenüber aller philosophisch-harmonisierenden Betrachtung des Daseins wehrt er sich damit für eine den Widersprüchlichkeiten und Grausamkeiten des Lebens entsprechende, realistischere Sicht der Vorsehung. Die Gläubigen, so sagt er:

«erleben vieles, was sich scheinbar nicht miteinander verträgt ... wie Feuer und Wasser. Aber zuletzt bringt Gott alles zu einem solchen Ende, daß es sich wohl ausgleicht. Es gibt Leute, die nach Art der Philosophen die Meinung vertreten, es sei alles in schönster Ordnung, es gebe keine Widersprüche, es passe immer eines zum andern. Ach, diese Leute haben keine Ahnung davon, was es heißt, von Gott angepackt zu sein und durch seine Gerichte hindurch müssen. Gott behandelt uns so grausam, daß alles in uns in Verwirrung kommt, und es entstehen in unserm Herzen Stimmungen, die einander widerstreiten. Bald wünschen wir zu leben, bald zu sterben ...» Aber

«Der Glaube ist Meister ... die Gläubigen sind entschlossen, auf Gott zu hoffen und die Seligkeit unter allen Umständen bei ihm zu suchen» (54).

Gott wird sich als der Regent und Richter erweisen, der er von Anfang an war.

52) Dieses und die folgenden Zitate nach: Predigten über das Buch Hiob in Auswahl. Joh. Calvin. Auslegung der Hl. Schrift. Neue Reihe, Ergänzungsbd. 2, 20. Band der Gesamtausgabe, Neukirchen 1950. Predigt über Hiob 10, 12, 193. Tillich hebt diesen antideistischen Zug von Calvins Vorsehungslehre besonders hervor (aaO 301–302).

53) Zu Hiob 12, 16, 226. Zum Problem vgl. Niesel 74ff. und das Kp. Inst. I, 18.

54) Zu Hiob 13, 15, 236.

«Aber Gott ist nicht ein Götze, ein totes, müßiges Ding, sondern als Gott regiert er die Welt, um seiner höchsten Majestät willen muß er Richter sein und als Richter ist er untadelig gerecht. Weltschöpfung und Weltregierung gehören untrennbar zusammen. Wenn wir meinen, Gott regiere nicht alles, sondern einiges geschehe zufällig, so machen wir den Zufall zu einer Göttin» (55).

Damit fügt sich die Vorsehungslehre bei Calvin mit der Anthropologie zusammen. Calvin sieht den von Natur aus religiösen Menschen als einen, der sich seine eigenen Götter macht. Dazu gehören auch die volkstümlichen oder philosophischen Anschauungen über die Vorsehung.

b) Gott und Geschichte

In der Institutio von 1536 finden sich weitere Aussagen über Gottes Vorsehung v.a. bei Calvins Darstellung der Bedeutung von Staat und Regierung. Sie sind dem direkten Wirken der göttlichen Vorsehung unterstellt. Gottes Anordnung teilt Königreiche zu und zerstört sie, setzt Herrscher ein und ab (56). Die Herrschenden sind Stellvertreter und Gesandte Gottes. Seine Vorsehung hat sie für diese hohe Aufgabe vorgesehen. Sie sollen ein Abbild der göttlichen Vorsehung, Fürsorge, Güte, Wohlwollen und Gerechtigkeit sein. Diese Aussagen kehren unverändert durch alle Ausgaben der Institutio wieder (57). Was Calvin im Senecakommentar als Lehre der Stoa bezeichnet und mit Aussagen antiker Autoren belegt hat (58), wird jetzt mit biblischen Beispielen belegt und ausgeführt. Dabei wird noch deutlicher gemacht, daß es eine von Gott geforderte Verantwortlichkeit der Herrscher für die ihrem Regiment anvertrauten Menschen gibt.

Im Glauben an die Vorsehung Gottes findet Calvin darum die Grundlage für seine Appelle an die Herrscher zum Wohl der bedrängten Evangelischen. So kann er sein Vorwort zur Institutio von 1536 an Franz I. mit den fast drohenden Sätzen schließen, daß die Verfolgten

«auf die starke Hand des Herrn harren, die ohne Zweifel zur rechten Zeit da sein und sich gewappnet ausrecken wird, die Armen aus ihrer Not zu ret-

55) Zu Hiob 34,13,368.

56) OS I,275–277.

57) OS I,261–262. Vgl. hier und zur vorigen Anm. Wernle aaO 142ff. In der Inst. 1559 in IV,20,4 u.6. Vgl. zum Thema P. Brunner «Das Problem der natürlichen Theologie bei Calvin», Th Ex heute, München 1935, v.a. 48–49 und 54–60 sowie ders. «Calvins Lehre vom Staat als providentieller Lebensordnung» in der Festschrift für Paul Wernle, «Aus fünf Jahrhunderten Schweizerischer Kirchengeschichte», Basel 1932.

58) Vgl. Anm. 47.

ten und Rache zu üben an den Verächtern, die jetzt so sicher triumphieren» (59).

Auch in seinen Briefen zur politischen Lage und Beratung zeigt sich dieser Vorsehungsglaube. Den Tod Franz II. (1560) kann Calvin als ein direktes Eingreifen Gottes zugunsten der Hugenotten verstehen und schreiben:

«Im größten Unglück schien keine Hilfe zu sein, als plötzlich Gott vom Himmel erschien» und

«da hat Gottes Hand sich aufs Neue wider alle Hoffnung gezeigt. Denn der Tod des jungen Königs muß notwendig einen Umschwung aller Verhältnisse mit sich bringen» (60).

Den 2 Jahre später (1563) geschlossenen, für die Evangelischen ungünstigen Frieden (von Amboise) empfindet Calvin als «Heimsuchung Gottes» (61) und schreibt einige Sätze, die als Zusammenfassung des Glaubens an das Walten von Gottes Vorsehung in der Geschichte gelten können:

«So bleibt uns nichts übrig, als uns in Geduld zu demütigen und zu warten, wie es Gott versehen wird, wovon wir gewiß ... bald einige gute Zeichen sehen werden. Indessen müssen wir uns tapferer halten als je, denn Gott will die Seinen prüfen mit diesem Schlag, indem er ihnen einerseits große Schwierigkeiten in den Weg legt und ihnen damit anderseits Gelegenheit gibt, recht mit vollem Bewußtsein sich in seinen Dienst zu stellen» (62).

Diese Briefstelle zeigt wiederum, wie bei Calvin Vorsehungsglaube und verantwortliches Handeln zusammengehen, ja ersterer das Zweite als Grundlage voraussetzt. Wichtig ist dabei, daß Calvin mit dem Glauben an die in der Geschichte wirkende Vorsehung Gottes keinerlei Erwählungsbewußtsein verbindet. Gottes Vorsehung hat immer wieder Männer, Herrscher und Völker mit einem besonderen Auftrag erweckt. Das ist jedoch keine Erwählung. Erwählung und Vorsehung müssen an diesem Punkt scharf getrennt werden. Gottes Auftrag und Plan ist nicht etwas, das sich ideologisch als sog. geschichtliche Sendung von Gott ablösen ließe. Der von Gott Beauftragte untersteht in gleicher Weise Gottes Vorsehung und Gericht wie der von Gott Bestrafte. Die Rollen können jederzeit wechseln (63).

In diesen Ausführungen wurde bereits deutlich, welchen Trost für den Christen der Glaube an das Walten von Gottes Vorsehung in der Geschichte

59) Zit. nach Schwarz I, Nr. 9, 20 = OS I, 36; ohne Gebrauch des Begriffs providentia.

60) Schwarz II, Nr. 648/646 = OC 18, Nr. 3293/3291.

61) Schwarz II, Nr. 721 = OC 19, Nr. 3926.

62) Schwarz II, Nr. 729 = OC 20, Nr. 3947 «actendant que Dieu y pourveoie».

63) Inst. IV, 20, 30. Vgl. zum Thema H. Berger, Calvins Geschichtsauffassung, Zürich 1955, 186–197.

bedeutet. Calvin macht dies noch eindeutiger in seiner Sicht von Gottes Handeln gegen und durch das Böse und das Leiden. Sie findet sich zuerst in der Auslegung des Unser Vater, die von Anfang an Bestandteil der Institutio ist.

Mit der Bitte um das tägliche Brot vertraut sich der Christ Gottes Fürsorge und Vorsehung an (64). Den Abschluß deutet Calvin als ein Verharren in Vertrauen und Gebet, im Wissen darum, daß wir von der göttlichen Vorsehung regiert werden. Wer betet, fällt daraus nicht heraus, trotz aller unerfüllter Wünsche und aller Anfechtung (65). – In der 6. Bitte wird um Bewahrung vor der Versuchung und Erlösung vom Übel gebetet. Calvin sieht darin eine Bitte um Stärkung in den Versuchungen. Sie können vom Satan kommen, um uns von Gott abzuziehen; aber auch Gott selbst versucht den Menschen (nach dem Zeugnis der Bibel), zur Prüfung, Läuterung und Übung der Geduld. Calvin legt in seiner Darstellung Hiobs die Schlußfolgerung nahe, daß es am Glauben des Menschen selbst liegt, ob er eine Versuchung durch Leiden als von Gott gesandt annimmt und besteht, oder ob er sie als vom Satan kommend ablehnt und sich davon überwältigen läßt (66). In der Auslegung der 2. Bitte kann das Regiment Satans geradezu als ein Gegenreich zu Gottes Herrschaft verstanden werden (67). Entgegensetzung und Unterordnung des Satans gegenüber Gott hat Calvin im Katechismus von 1542 verbunden. Dort ordnet er den Aussagen über die Vorsehung im Anschluß an Art. I des Credo eine Gegenaussage zu, die über die Teufel und Bösen im Gegensatz zu den Gläubigen festhält:

«Auch wenn er (sc. Gott) sie nicht durch seinen Hl. Geist führt, so hält er ihnen dennoch die Zügel, so daß sie sich nicht ohne seine Erlaubnis regen können. Er zwingt sie sogar, seinen Willen auszuführen...»

und auf die anschließende Frage:

«Was nützt dir diese Kenntnis?» antworten läßt:

«... damit können wir ruhen und uns freuen, da Gott verspricht, uns zu schützen und zu verteidigen» (68).

Die Regierung der Gottlosen und Ungläubigen dagegen gehört dem Reiche Satans zu (69).

64) OS I, 110, später Inst. III, 20, 44.

65) OS I, 116–117, später Inst. III, 20, 50–51. Vgl. Wernle 80–81.

66) Zu Hiob und Satan vgl. Inst. I, 14, 17 und Inst. I, 18, 1. Auf die Verbindung dieser Problematik mit der Erwählungslehre wird später eingegangen.

67) OS I, 109, später Inst. III, 20, 42.

68) Übersetzt nach dem französischen Text bei Niesel, BS, 6. Vgl. OS II, 78, 18–32 für die lat. Fassung.

69) Inst. I, 14, 17–18 (1543). Calvin braucht hier denselben Ausdruck (gubernatio) wie für Gottes Vorsehung.

Die enge Beziehung von Vorsehungsglauben und christlicher Existenz taucht auch in all denjenigen Lehrstücken auf, mit denen Calvin das Besondere der Lebensgestaltung des Christen als Gottes resp. Christi Eigentum darzustellen sucht. In Inst. III, 7–9 handelt er der Reihe nach von der Selbstverleugnung, vom Tragen des Kreuzes und dem Trachten nach dem zukünftigen Leben. Ohne daß das Stichwort der Vorsehung selbst fällt, sind die ganzen Kapitel doch in der Sprache des Vorsehungsglaubens – und -wirkens gehalten. Das Gewicht liegt auf den Gedanken der Nachfolge Christi und des Lebens Christi in den Gläubigen. Christi Weisheit wird als Christiana philosophia der auf die Vernunft gegründeten Philosophie gegenübergestellt (70). Hier verbindet sich also Gottes Vorsehung gegenüber den Seinen mit der Herrschaft Christi über seine Jünger unter der Leitung des Heiligen Geistes.

c) Gott und die Seinen

Bei Calvin sind Erwählung und Vorsehung von allem Anfang an zu einem einzigen heilbringenden Handlen verbunden. In der ersten Institutio ist die Erwählung deshalb noch Teil des Handelns von Gottes Vorsehung (71). Aber auch später wird diese Einheit immer wieder betont, nachdem Calvin Erwählung und Vorsehung theologisch verschieden begründet. So hat z.B. nach Calvin die Vorsehung die Verworfenen selbst durch ihren Unglauben schuldig werden lassen (72). Die Kirche ist ein Mittel der Vorsehung, um die Gläubigen Gott nahezubringen und sie zum Ziel des Glaubens hinzuführen (73), ja, es würde keine Prediger des Evangeliums geben, wenn nicht Gottes besondere Vorsehung sie erweckt hätte (74). So wacht nun Gottes besondere Vorsehung auch über dem Leben der Gläubigen. Wir zitieren den hiezu wichtigsten Abschnitt der Institutio von 1539. Danach braucht es eine

70) III, 7, 1 u. 10; III, 8, 1; III, 9, 5 u. 6, alle Abschnitte 1539. In III, 8, 8–11 setzt sich Calvin ausführlich mit dem stoischen Ideal der Unerschütterlichkeit auseinander, das er als nicht-christlich bekämpft, vgl. dazu Saxer 161–162 und Partee 67–72.

71) OS I, 87–88. Später wurden, wie in Teil 1) ausgeführt, Vorsehung und Erwählung von Calvin getrennt behandelt. Der ursprüngliche Ansatz hält sich jedoch als bleibender theologischer Sinn, nämlich der umfassenden Erfassung der Gläubigen durch Erwählung und Vorsehung, wie bei Zwingli, vgl. Locher 109 ff.

72) Comm. Röm. 11, 32/OC 49, 229.

73) Inst. I, 1, 1/OS V, 1, 22–24 (1559).

74) Comm. Röm. 10, 15/OC 49, 205. Vgl. zur Verbindung von Heilsgeschichte und Abfassung der Schrift als Werk von Gottes eruditio und providentia jetzt auch A. Ganoczy: Calvin als paulinischer Theologe, in: Calvinus Theologus. Die Referate des Europäischen Kongresses für Calvinforschung; ed. W. H. Neuser, Neukirchen 1976, 52–53.

«fromme und heilige Betrachtung der Vorsehung ... wie sie uns die Richtschnur der Frömmigkeit gebietet... Da der Christ in seinem Herzen die unumstößlich gewisse Überzeugung hat, daß alles aus Gottes Führung, nichts aber aus Zufall geschieht, so wird er auf ihn als die höchste Ursache der Dinge stets die Augen richten, die untergeordneten Gründe (causas inferiores) aber an der ihnen zukommenden Stelle nicht außer acht lassen. Außerdem wird er nicht zweifeln, daß Gottes besondere Vorsehung auf der Wacht ist, ihn zu erhalten; sie wird ja nichts geschehen lassen, was ihm nicht zum Guten und zum Heil gereicht!»

Diese Richtschnur ist das Zeugnis der Bibel, von dem Calvin mit Emphase erklärt:

«Daß Gottes besondere Vorsehung über dem Heil der Gläubigen wacht, bezeugen sehr viele ganz klare Verheißungen.» Calvin führt an: Ps. 55,23 / 1. Pet. 5,7 / Ps. 91,1 / Sach. 2,12 / Gen. 15,1 / Jes. 26,1 / Jer. 1,18 / Jes. 49,25 / Jes. 49,15.

Nach Calvins Überzeugung ist es

«der wichtigste Gesichtspunkt in den Erzählungen der Bibel, zu lehren: der Herr behütet die Wege der Heiligen mit solchem Fleiß, ‹daß sie ihren Fuß nicht an einen Stein stoßen› (Ps. 91,12). Wir haben nun oben (I,16,4) mit Recht die Meinung derer abgelehnt, die bloß an eine ‹allgemeine› Vorsehung Gottes denken, die sich nicht in besonderer Weise zur Fürsorge für jede einzelne Kreatur herablasse. Deshalb ist es erst recht der Mühe wert, diese ‹besondere› Fürsorge an uns zu erkennen. So behauptet ja Christus, nicht einmal der geringste Sperling falle zur Erde ohne den Willen des Vaters (Mat. 10,29) und er wendet das sofort so: da wir ja mehr sind als Sperlinge, so sollen wir uns auch umso mehr der besonderen Fürsorge Gottes versichert halten; er dehnt diese Fürsorge soweit aus, daß wir zuversichtlich glauben sollen, auch die Haare unseres Hauptes seien alle gezählt (Mat. 10,30). Was sollen wir uns denn noch anders wünschen, wenn doch nicht einmal ein Haar von unserm Haupte fallen kann ohne seinen Willen?»

1559 fügt dann Calvin noch hinzu:

«Ich rede hier nicht nur (allgemein) vom Menschengeschlecht, sondern weil sich Gott die Kirche zur Wohnung erlesen hat, so erweist er unzweifelhaft in ihrer Leitung seine väterliche Fürsorge durch besondere Zeugnisse» (75).

Wir sind hier beim Kern reformierten Vorsehungsglaubens. Denn gerade von der Vorsehungslehre Calvins her sind wesentliche Aussagen der ersten

75) Inst. I, 17, 6/OS III, 209, 6–210, 13.

Frage und Antwort des Heidelberger Katechismus vorbereitet. Wie schon vorhin die Aussagen über die Errettung aus der Gewalt des Teufels und über die Gläubigen als Eigentum Gottes resp. Christi, so ist es hier das Wachen Gottes über den Seinen und vor allem die einmalige Verbindung der Bibelverse Mt. 10, 29 und 30 zu der Aussage: «daß ohne seinen Willen kein Haar von unserm Haupte fallen kann», die im Heidelberger Katechismus genau so wiederkehrt und also bei Calvin ein wörtlich genaues Vorbild hat (76).

Gibt es nun bei Calvin eine dreifache Ausrichtung des Vorsehungswirkens Gottes auf Welt, Menschen und Kirche? Calvin spricht meistens von einer allgemeinen und besonderen Vorsehung. Die entsprechenden termini lauten: providentia universalis/generalis resp. singularis/peculiaris (77). Eine

76) Dahinter steht ev. die Stelle Acta 27, 34, die dann im Zweiten Helv. Bekenntnis Kp. VI «Die Vorsehung Gottes» zitiert wird «Keinem von euch wird ein Haar vom Haupte verloren gehen». Wie schon Wernle angenommen hat (280/310), sind auch wir der Meinung, daß Calvin mit der ausgeführten Providenzlehre von 1539 v. a. einen Gegenentwurf gegen Zwingli liefern wollte. In Zwinglis De providentia findet sich zu unserer Stelle kein genaues Vorbild, wohl aber die Heranziehung derselben beiden Verse Mat. 10, 29/30 zur Begründung der Ablehnung des Zufalls und der Fürsorge Gottes für den Menschen (SS IV, 2, 93). Bei Zwingli dienen diese Verse also der Begründung der allgemeinen Güte und Vorsehung Gottes. Calvin deutet sie auf die besondere Fürsorge Gottes für die Seinen. Wenn Calvin Zwingli eine zu philosophisch gehaltene Vorsehungslehre vorwirft (Brief an Bullinger OC 14, Nr. 1590), deren Paradoxien stoßend seien, so müßte man umgekehrt gegen Calvin fragen, ob seine Vorsehungslehre gegenüber dem philosophischen Denken wie auch dem biblischen Zeugnis nicht eine gewaltige Einengung bringt, was die Schwäche der Konzentration auf einen Punkt sichtbar macht. S. dazu Teil 3) dieser Arbeit. – Das gemeinsame Wirken der Vorsehung und Erwählung zum Heil der Gläubigen im Sinn der Unverlierbarkeit der Erwählung schon bei Zwingli am Schluß von De providentia: SS IV, 2, 140.

Der Römerbriefkommentar, dessen Abfassung allgemein als Anlaß zur breiten Ausführung der Lehre von Erwählung und Verwerfung in der Institutio von 1539 angesehen wird, bot keinen ähnlichen Anlaß für den entsprechenden Ausbau der Vorsehungslehre. Im Text des Kommentars wird denn auch kaum von der Vorsehung, hingegen ausführlich von Erwählung und Verwerfung gehandelt. I. ü. ist auch die Lehre von Erwählung und Verwerfung von Anfang an unbestrittene biblische Grundlehre bei Calvin. Die Zurückführung auf ein decretum aeternum geschieht bereits im Katechismus von 1537 (nicht nur conseil eternel, sondern auch: Dieu a dez son eternite conclud OS I, 391, Titel dort noch: De lelection et predestination, 390) und zwar unter Anspielung auf Röm. 9, 21–22. Im Vorwort zur Olivetanbibel 1535 wird das Gleichnis vom Endgericht Mt. 25 ausgelegt und die Verdammten zur Linken als «pervers, rebelles et reprouvez» bezeichnet (OC 9, 811), im Gegensatz zu den Erwählten, denen Christus seinen Geist versprochen hat, mit dem sie auf Erden schon im Himmel leben (promis à ses esleuz). In den Streitschriften der 50er-Jahre wird die doppelte Prädestination immer unerbittlicher

Gangs und ihrer Gesetze, was beileibe nicht in der Art einer Maschine selbständig abläuft, sondern nur dank des dauernden Wirkens Gottes Bestand hat. Aber diese allgemeine Vorsehung enthält schon in sich als Zweck die besondere, nämlich die Leitung der Menschen nach Gottes Plan, und diese wiederum in sich als eigentlichen Zweck Heil und Bewahrung der Gläubigen. Man kann dies wohl als 3 Stufen oder 3 konzentrische Kreise auffassen, muß dann aber klarstellen, daß das Anliegen Calvins im Grunde allein der Vorsehung Gottes für die Seinen gilt. In allen Aussagen über Gottes Vorsehung liegt bei Calvin eine Dynamik, bei der das ganze Weltgeschehen providentia specialissima gibt es bei Calvin nicht (78), auch nicht in der frühen reformierten Orthodoxie, nur in der lutherischen. Nach Calvin gilt die allgemeine Vorsehung der Ordnung und Aufrechterhaltung der Welt, ihres

festgehalten, ebenso in den Predigten, z.B. über Hiob (gegen Jacobs) und erst recht in den 13 Predigten über Jakob und Esau, die 1560 erschienen und im Titel schon als Behandlung von Erwählung und Verwerfung bezeichnet werden. Man tut dem Anliegen Calvins keinen Dienst, wenn man diese Tendenz abschwächt oder verharmlost, oder Calvin als «vulgarisateur de sa propre doctrine» (so A. Erichson am Schluß der Notice Littéraire zu den Treize Sermons in OC 58) bezeichnet. Calvin konnte die absolute Freiheit von Gottes erwählender Gnade nur auf dem Hintergrund der Alternative einer ebenso freien Verwerfung aussagen. Deshalb muß, je mehr die erste Aussage betont werden soll, auch die zweite immer breitern Raum einnehmen. Das Problem kann nicht durch eine Reduktion der Aussagen Calvins gelöst werden, sondern nur durch eine Hinterfragung des totalen metaphysischen Gottesverständnisses Calvins. Vgl. zur Entwicklung der Prädestinationslehre bei Calvin v.a. Wendel 233–237.

77) Inst. I, 16, 4 u. 7/OS III, 193, 4 und 194, 9. 12. 13 und 197, 16.

78) So offenbar Krusche 13/14. Vgl. dagegen die Interpretation derselben Aussage Calvins bei Wendel 154, sowie Partee 161. Krusche hat u.E. ein Schema der orthodoxen lutherischen Vorsehungslehre in Calvin eingetragen, wozu die beiden angeführten Stellen (vgl. Anm. 37) allerdings einigen Anhalt geben. Krusche hat dabei alle 3 Stufen der Vorsehung dem Wirken des Hl. Geistes zugeordnet. Eine andere trinitarische Zuordnung findet sich bei M.H. Scharlemann, Divine Providence: Biblical Perspectives, 19–44 in: «The caring God: Perspectives on Providence», ed. Carl S. Meyer and Herbert T. Mayer London 1973:

Providentia generalis	–	Vater	–	Schöpfung
specialis	–	Sohn	–	Versöhnung
specialissima	–	Geist	–	Heiligung

Gegen O. Weber, Grundriß der Dogmatik I, 567, muß festgehalten werden, daß man zwar der Sache nach bei Calvin von einer providentia specialissima sprechen kann, sofern man darunter den Skopus der gesamten Vorsehungslehre versteht. Der Ausdruck kommt aber auch in dem von Weber angegebenen Kap. Inst. I, 17 nicht vor. Vgl. zur dogmengeschichtlichen Entwicklung G.W. Locher, Eine reformierte Antwort, in: Concilium 13, 10/1977, Wozu sind wir auf Erden?, 524–529.

sich schließlich dem letzten Zweck des Heils der Gläubigen und der Ehre Gottes unterordnet (79). Wir formulieren ausdrücklich mit Calvin «der Gläubigen» und nicht etwa «der Kirche», weil alle Aussagen Calvins in diesem Zusammenhang zunächst den Einzelnen betreffen. Die Aussagen über die Kirche als Objekt besonderer Führung Gottes sind in der Institutio alle erst 1559 zugefügt worden. Die Kirche ist bei Calvin ein Mittel der Vorsehung wie alle andern und nicht Ziel göttlichen Wirkens, sondern Hilfe zum Heil (80). Damit ist natürlich die bestehende Kirche als Organisation gemeint und nicht der Kreis der Erwählten.

Auch von einer christologischen Begründung des Vorsehungsglaubens kann bei Calvin zunächst nur in dem Sinne die Rede sein, als Gott der Vater nicht anders als durch Christus erkannt wird. Freilich ist der Christ dann insofern in einer besonderen Lage, als er in Vorsehung und Erwählung gleichermaßen den gnädigen Gott erkennt. In Calvins Aussagen über die Existenz der Gläubigen treffen sich die beiden Gesichtspunkte der in Christus begründeten Erwählung und der in Gott begründeten Vorsehung. Dies scheint uns ein Schlüssel zum Verständnis von Calvins Theologie, Frömmigkeit und reformatorischem Wirken zu sein.

Bei Calvin sind es darum allein die Gläubigen, denen eigentlich all das zugute kommt, was Gott dem Menschen schenken will. Dies kommt besonders in einigen Psalm-Predigten zum Ausdruck. Calvin kann sagen:

«Weil nun aber unser Herr Jesus Christus der Herr der Kirche ist und alle in seiner Hand hat, andrerseits aber von Gott, seinem Vater, zum Herrn und Meister über alle Kreaturen eingesetzt ist, darum sind auch wir, die wir seine Glieder sind, die rechtmäßigen Besitzer aller Güter Gottes. Und darum zielt die Vorsehung, die sich auf die ganze Welt erstreckt, in Wahrheit auf uns ... wenn wir die Naturordnung ansehen, so sollen wir dabei bedenken, wie Gott sich als Vater seiner Kirche erweist und ganz besonders auf uns sein Auge wirft, nachdem er uns einmal in seine Herde aufgenommenhat, und

79) Dies paßt auch zu Krusches Aussagen über die Wirkung des Hl. Geistes in 3facher Ausrichtung, vgl. Anm. 34–36.

80) Vgl. Inst. IV, 14, 12 (1536) mit Inst. I, 17, 1 und IV, 1, 1–2 (1559). «Die Nähe dieser Aussagen über den Gebrauch der media in Gottes Vorsehungshandeln zu denen über den Gebrauch der media externa in seinem Heilshandeln springt einem ja sofort ins Auge. Da die Prädestination als Sonderfall der Providenz dieser formal untergeordnet ist (wiewohl sie ihr sachlich übergeordnet ist) ist es nicht verwunderlich, daß auch die Gnadenmittel formal den moyens inférieurs subsumiert werden» formuliert Krusche, 26, den Sachverhalt. Das verschlungene Verhältnis von Prädestination und Providenz besteht allerdings inhaltlich und kann nicht in ein sachliches bzw. formales Element aufgeteilt werden.

wie er alle Güter, die er dem Menschengeschlecht gibt, von uns angewendet und gebraucht haben will» (81).

Diese Aussagen müssen schließlich alle auf dem Hintergrund der Tatsache gesehen werden, daß Calvin sein eigenes Leben, insbesondere seine Hinführung zum reformierten Glauben und reformatorischen Wirken, als Erfahrung mit der Vorsehung Gottes aufgefaßt und dargelegt hat. Diese eigene Erfahrung wird im Vorwort zum Psalmenkommentar ausdrücklich als Hilfe zur Auslegung und praktischen Anwendung der Psalmen angeführt. Unter diesem Gesichtspunkt schildert dann Calvin sein Leben vom Beginn des Studiums der Rechte über die Bekehrung und die Stationen seines Wirkens bis zur endgültigen Niederlassung in Genf. Die «verborgene Vorsehung» Gottes lenkte ihn zur Bekehrung. Die «starke Hand Gottes» nahm ihn in Beschlag, als er durch Farel bewogen wurde, in Genf zu bleiben, ähnlich durch Butzer in Straßburg, beidemale als Verpflichtung zum Wirken für Gott in der Öffentlichkeit der Kirche (82). Calvin fühlt sich in allem nie als sein eigener Herr, sondern er gibt sich gefangen in den Gehorsam Gottes, der ihn zum Diener seiner Kirche berufen hat (83). In seinen Leiden und Nöten bei dieser Aufgabe tröstet er sich mit dem biblischen Vorbild Davids, den er als Beter der Psalmen und Leiter des Volkes Gottes versteht. Er dient Calvin als Spiegel für den Anfang seiner Berufung und den Fortgang seiner Arbeit. In seinen Psalmen findet Calvin u.s.«glänzende Zeugnisse von Gottes väterlicher Vorsehung und Fürsorge für uns», die ihn immer wieder ermutigen, sich Gott zu unterwerfen und sich im Gehorsam zu bewähren (84). Daß dies wirklich Calvins eigenstes Lebenselement war, zeigt u.E. auch der erste erhaltene Brief, in welchem Calvin von seinem Glauben spricht. Er wurde auf der Flucht vor den Verfolgungen in Frankreich aus einem vorübergehenden Zufluchtsort geschrieben und ist das früheste Zeugnis des das ganze Leben und Wirken Calvins bestimmenden Vorsehungsglaubens:

«Wenn ich die Zeit, die eigentlich der Verbannung oder Auswanderung bestimmt war, in solcher Ruhe zubringen darf, so glaube ich, geschieht mir etwas Außerordentliches. Doch dafür wird der Herr sorgen, dessen Vorsehung alle aufs Beste versehen wird. Ich habe erfahren, daß wir nicht ins Weite schauen dürfen. Als ich mir Ruhe in allem versprach, stand vor der Tür, was ich am wenigsten erwartet hatte. Dann wieder als ich auf einen unan-

81) Zit. nach E. Mülhaupt, Der Psalter auf der Kanzel Calvins, Neukirchen 1959, 103, zu Ps. 147, 12–20.

82) Vgl. dazu Saxer aaO 255–262.

83) Z.B. die Briefe OC 11/Nr. 246 und 248.

84) OC 31, 19/20.

genehmen Wohnsitz denken mußte, wurde mir ein Nest im Stillen hergerichtet wider alles Erwarten. Das Alles ist die Hand des Herrn. Wenn wir uns ihm anvertrauen, wird er für uns sorgen» (85).

3. Systematische Zusammenfassung und Kritik

Wir haben bei Calvins Aussagen über Gottes Vorsehung sowohl von Vorsehungslehre wie von Vorsehungsglauben gesprochen. Damit sollte ausgedrückt werden, daß unser Ansatz im Grunde daraufhin zielte, zunächst nicht den systematischen Gesamtzusammenhang der Vorsehungslehre Calvins zu erfassen, sondern die Wurzeln seines Vorsehungsglaubens und die Ausrichtung seines Bedenkens und Darstellens der göttlichen Vorsehung aufzuspüren und der daraus entwachsenden Entfaltung der Vorsehungslehre gerecht zu werden. Nun stellt sich die Aufgabe, auf diesen Grundlagen Calvins systematische Einordnung und Zusammenfügung der Aussagen über Gottes Vorsehung sowie die Folgen für das Ganze seiner Theologie abschließend zu klären.

Die im 1. Kapitel erwähnten Gesamtdarstellungen der Theologie Calvins haben verschiedene Antworten v.a. auf die Frage gegeben, ob das Zentrum der Theologie Calvins in den christologisch-trinitarischen Aussagen oder in den Aussagen über Vorsehung und Erwählung liegt. U.E. besteht zwischen beiden theologischen Komplexen ein korrespondierendes Verhältnis. Im Blick auf die Vorsehungslehre stellen wir zunächst fest: Calvin formuliert nicht ausdrücklich das Wirken von Gottes Vorsehung als ein opus totius trinitatis. Wenn er von Gottes Vorsehung im Ganzen spricht, gehört dies der ersten Person Gottes, dem Vater, zu, wenn er von Gottes Vorsehung für die Gläubigen spricht, der dritten Person, dem Hl. Geist. Beides hat die Tendenz, ineinander zu fließen. Schließlich finden sich auch durch das gesamte Werk Calvins (von seinem Bibelvorwort von 1535 an) immer wieder Aussagen darüber, daß Christus zum Herrn aller Kreatur eingesetzt worden ist und somit auch eine Art von Vorsehung ausübt. Im übrigen erklärt Cal-

85) Schwarz I, Nr. 8 = OC 10, Nr. 20. Im Original: «Si id temporis, quod vel exsilio, vel secessui destinatum est, tanto in otio transigere datur, praeclare mecum agi existimabo. Sed de iis viderit Dominus, cuius providentia omnia melius providebit. Expertus sum quod non liceat nobis in longum prospicere. Quum promitterem mihi omnia tranquilla, aderat in foribus quod minime sperabam. Rursum quum in amoenam sedem meditarer, nidus mihi in tranquillo componebatur, praeter opinionem. Et haec omnia manus Domini, cui si nos committimus ipse erit sollicitus nostri». Vgl. dazu W. Neuser, Calvin, Sammlung Göschen, Berlin 1971, 22–23.

vin ausdrücklich, wenn von Gott die Rede sei, könne jede der drei Personen der Trinität gemeint sein. Somit ist zwar bei Calvin die Vorsehung nirgends ausdrücklich der ganzen Trinität als opus zugeordnet, aber sachlich so verstanden.

Dieser Befund wird dadurch kompliziert, daß mit der Vorsehungslehre auch die Erwählungslehre verbunden ist. Deshalb verteilt sich die Zuordnung dieses göttlichen Wirkens doch in Form gewisser Mehr- oder Minderbetonungen im Zusammenhang mit den einzelnen Personen der Trinität.

Man kann nicht geradezu von Appropriationen sprechen, aber doch von einem schematisch ziemlich klar zu erfassenden Verhältnis:

Vater	Sohn	
Providenz	Erwählung	begründend
(Erwählung)	(Providenz)	folgend
Hl. Geist		
Providenz und	Erwählung	bewirkend

Vorsehung und Erwählung werden damit aber zu einer Art kategorialen Beschreibung des göttlichen Wirkens. Sie bilden ein inner-theologisches Gegengewicht zum trinitarischen Offenbarungsdenken. Ja, sie werden zur eigentlichen Konkretion und Zielsetzung des göttlichen Wirkens, hinter welchem die Personen der Dreieinigkeit fast auswechselbar unprofiliert erscheinen. Dies soll schematisch so festgehalten werden:

Vater Sohn Hl. Geist	als Offenbarung Gottes
Vorsehung und Erwählung	als Ratschlüsse Gottes

Diese Ratschlüsse Gottes erhalten dadurch ein derartiges theologisches Gewicht, daß sie als Aussage über das wesentliche Wirken Gottes zu einer Art totaler theologischer Inbeschlagnahme der menschlichen Existenz führen. Diese ist damit wörtlich von Gott «hinten und vorne umschlossen» (Ps. 139, 5). Der Sinn des Personseins des Menschen geht in der Durchführung der Ratschlüsse Gottes durch Gott mit ihm auf. Der Mensch ist im wörtlichen Sinne «instrument de Dieu». Alles hängt davon ab, ob er sich dem mit Aufatmen einfügen kann oder sich mit Schaudern davon abwendet. Es gibt nur totale Ergebenheit und Unterordnung Gott gegenüber oder dann die Zugehörigkeit zum Reich der Selbstherrlichkeit, des Bösen und des Verworfenwerdens. Man kann sich fragen, welches Element bei Calvin stärker zum Ausdruck kommt, dasjenige der dialektisch gefaßten Eigenständigkeit von Vorsehung und Erwählung als Schöpfungs- und Erlösungsverheißung oder dasjenige der Ineinssetzung der Ratschlüsse Gottes als einer Art Hypostase der decreta Gottes. Das erste hat Calvin u. E. intendiert, die Gefahr des zweiten aber nicht vermeiden können.

Es müßte unerhört spannend sein, an dieser Stelle das doppelte Konzept Calvins mit den Aussagen C. G. Jungs v. a. in «Psychologische Deutung des Trinitätsdogmas», über die Trinität als Symbol des erlösenden Geistes Gottes und der Quaternität als Symbol des Gottes, der die Welt als Viertes in sich aufnimmt und, indem er ihr Widerstreben überwindet, zur Totalität gelangt, zu vergleichen. Wieweit ist hier Calvins eigene Erfahrung prägend für seine Theologie geworden? In ihr ist aus der Trinität der Offenbarung so etwas wie eine Quaternität von Offenbarung und decreta Gottes geworden. Vorsehung und Erwählung verbinden Mensch und Gott zum vollständigen Ganzen. Deshalb nimmt offenbar eine entsprechende Theologie den Menschen mit seiner Erfahrung der Welt nicht nur in das göttliche Handeln mit hinein, sondern läßt kein Geschehen davon aus. Der Mensch wird über den Empfänger der Gnade Gottes hinaus zum Mittel der Selbstverwirklichung Gottes. Gott als Quaternität in trinitas und decreta ist ein Bild des sich selbst mit der Welt als vollendet verwirklichenden Gottes – soli Deo gloria! Des Menschen Ehre besteht darin, Teilhaber dieser Gottwerdung Gottes zu sein als Erwählter oder Verworfener, vom ständigen Prozeß des Vorsehungswirkens umschlossen. Calvin hat nicht umsonst so hart gegen die Idee einer alles durchwaltenden Weltseele und gegen die Lebensauffassung der Stoa als Einklang mit dem Geschick gekämpft – er sah hier die seiner eigenen Lehre gefährlich nahestehende – ontologisch statt in der Offenbarung begründete – Zwillingsschwester neben sich. Die dem eigenen System innewohnende Totalität mußte mit dem dauernden Appell zum Glauben an die Verheißung des erwählenden Christus ausbalanciert werden. Dies mutet oft wie ein Losringen von der Übermächtigkeit des alles mit seinen decreta erfassenden und überschauenden Gottes an. Denn umgekehrt erscheint nun auch Gott dem Menschen – so wie der Mensch es für Gott ist – nicht mehr als offenbarende dreieinige Person, sondern als auf seine Ratschlüsse festgelegte persona und zeigt damit dem Menschen, der ihn nicht als den verborgenen lebendigen (!) Gott erkennen kann, ein starres und erstarren machendes Medusenhaupt.

Welche Elemente haben sich nun in Calvins Vorsehungslehre zusammengefunden? Wir versuchen in Zusammenfassung des in Kap. 2 dargestellten Stoffes zu zeigen, daß in Calvins Vorsehungsbegriff 3 Elemente des Vorsehungsglaubens ineinander greifen:

das Element des philosophischen Gesamtbegreifens der Existenz,
das Element des biblischen Zeugnisses und
das Element der persönlichen Erfahrung.

Jedes dieser drei Elemente hat seine Berechtigung und kann Anlaß und Ausdruck eines Verheißungs-Vorsehungsglaubens sein. Fraglich ist, ob sie als Bezeugung der Gnadenverheißung Gottes wirksam bleiben, wenn sie unter dem Begriff der Vorsehung als Bestandteil einer übergreifenden Gotteslehre vereinigt werden, wie dies Calvin durchgeführt hat. Wir stellen den folgenden Ausführungen einen Abschnitt aus Inst. III, 7, 1 voran, den Calvin 1539 als Teil des Schlußkapitels der Institutio «Über das Leben des Christen» verfaßt und 1559 mit dem Titel «Summe des Christenlebens: Von der Selbstverleugnung» versehen hat:

«Wir sind Gottes Eigentum – also muß seine Weisheit und sein Wille bei all unserem Tun die Führung haben! Wir sind Gottes Eigentum – also muß unser Leben in allen seinen Stücken allein zu ihm als dem einzigen rechtmäßigen Ziel hinstreben (Röm. 14, 8). Wie weit ist der schon fortgeschritten, der erkannt hat, daß er nicht sein eigener Herr ist – und der deshalb seiner eigenen Vernunft Herrschaft und Regiment entzogen hat, um sie Gott allein zu überantworten...

Der erste Schritt soll also darin bestehen, daß der Mensch von sich selber abscheidet, um alle Kraft seines Geistes daran zu setzen, dem Herrn zu Willen zu sein. Unter solcher Dienstschaft verstehe ich nicht nur die, welche im Gehorsam gegen das Wort beruht – sondern jene, bei der sich das Herz des Menschen, leer von allem eigenen, fleischlichen Sinn, ganz zu dem Willen des Geistes Gottes bekehrt. Diese Umwandlung, die Paulus auch ‹Erneuerung (im Geiste) des Gemüts› nennt (Eph. 4, 23) ist den Philosophen sämtlich unbekannt gewesen, obwohl sie doch der erste Schritt ins Leben hinein ist. Sie setzen allein die Vernunft als Meisterin über den Menschen ein, sind der Meinung, man solle allein auf diese hören, ja sie übertragen und verstatten ihr allein die Herrschaft über die Sitten. Die christliche Weisheit (Christiana philosophia) dagegen läßt die Vernunft weichen, gibt ihr auf, sich dem Heiligen Geiste zu unterwerfen, unter sein Joch zu treten, damit der Mensch fürderhin nicht sich selber lebt, sondern Christus als den in sich trage, der da lebt und regiert!» (Gal. 2, 20).

Das Element des philosophischen Gesamtbegreifens zeigt sich schon im Begriff der Vorsehung selbst. Providentia/pronoia ist kein biblischer Begriff, sondern ein philosophischer Begriff aus der Stoa. Vorsehungsglaube gehört denn auch nach traditioneller dogmatischer Anschauung zur allgemeinen Religiosität. Calvin hat den Begriff aus der humanistischen und theologischen Tradition übernommen. Er hat dadurch einen Gesprächsort mit der gebildeten und ungebildeten Welt gefunden, die damals wie heute den gnädigen Gott mehr in der göttlichen Vorsehung als in der göttlichen Versöhnung suchte. So gern deshalb Calvin den Begriff der Vorsehung übernimmt, so scharf grenzt er ihn gegen jede Form philosophischer Weltanschauung ab, schärfer als bei andern Übernahmen philosophischer Sätze. Weil sich Calvin der Tragweite des Sich-Einlassens auf den Begriff der Providenz sehr bewußt ist, steht er nun im dauernden Bemühen, ihn von der weltanschaulichen Basis abzuziehen und seiner christlichen Zielsetzung dienstbar zu machen – und ebenso auch den Menschen entsprechend umzuwandeln. Die Vorsehung ist für Calvin der Hauptpunkt, an dem Gottes alles bestimmendes gnädiges Handeln der Philosophie gegenüber zur Konkretion gebracht werden muß und kann. Die Philosophie legt die Welt nach eigener Weisheit aus, die Christiana philosophia nach dem den Menschen regierenden (dreieinigen) Gott. Das setzt aber voraus, daß sich der Mensch «ganz zu dem Willen des Geistes Gottes bekehrt». Wortwahl und weitere Ausführung des Themas zeigen nicht nur Einwirkungen der eigenen Erfahrungen Calvins, sondern den Anspruch auf eine totale christliche Lebensgestaltung insgesamt. Man kann sich fragen, ob Calvin nicht geradezu an die Stelle einer philosophischen Ontologie eine Art Ontologie der Providenz gesetzt hat, die für den Menschen gilt, der Gottes Eigentum ist.

Damit kommen wir zum zweiten Element, dem des biblischen Zeugnisses. Dies ist sowohl in Calvins persönlicher Entwicklung als auch in seiner Vorsehungstheologie das dem allgemeinen Vorsehungsdenken Nachfolgende, es Konkretisierende und auf die besondere Vorsehung hin Zuspitzende. Eine generelle biblische Begründung des Begriffs der göttlichen Vorsehung gibt Calvin erst in der letzten Ausgabe der Institutio mit dem Hinweis auf Gen. 22, 8: «Der Herr wirds versehen (Dominus providebit)». Vorher ist der Begriff der Vorsehung je nach Ort und Anlaß seines Gebrauchs mit verschiedenen biblischen Zitaten inhaltlich bestimmt. Bezeichnend ist dabei die Kombination und Kumulation verschiedener Schriftstellen zu einem geschlossenen Gesamtbild biblischer Wahrheit. Durch Kommentare und Predigten vorbereitet, wachsen die Belege in der Institutio von Ausgabe zu Ausgabe an. Auf einige Lieblingsstellen Calvins in diesen Zusammenhängen wurde schon in Kp. 2 hingewiesen. Es geht Calvin dabei vor allem um die Deutung des Natur- und Weltgeschehens als auf jeden Menschen speziell abgestimmtes Handeln Gottes und dessen Fruchtbarmachung als eigentlich tragender Grundlage menschlichen Existierens. Philosophie ist Auslegung der Welt, wie wir sie aus ihr und damit aus uns selbst erkennen. Calvin stellt ihr die Auslegung der Welt und des Menschen nach der «Richtschnur der Frömmigkeit», dem offenbarten Bibelwort, gegenüber. Er hinterlegt damit dem Weltgeschehen das Vorsehungswalten Gottes. Positive Erfahrungen belegen die Wahrheit dieses Glaubens, negative können sie nicht widerlegen.

Der Christ ist im Glauben an die göttliche Vorsehung der Welt überlegen. Sie ist damit eben nicht mehr nur Welt, sondern Ort des Heilsgeschehens, auch nach der Seite des Bösen.

In all dem zeigt sich nun bei Calvin die prägende Rolle der eigenen Erfahrung für seine Theologie. Calvin sah sein Leben vor allem unter dem Gesichtspunkt des Gehorsams und der Leitung durch die göttliche Vorsehung. Dieser Glaube hielt ihn in allen Anfeindungen und Aufgaben aufrecht und ließ ihn seine Berufung auch wider Willen bejahen und auf sich nehmen. Ihr gewinnt er die positive Seite des Dienstes für Gott ab. Aber entsprechend genügt nun auch in den Forderungen seiner Theologie der Gehorsam gegen das Wort Gottes allein nicht. Calvin fordert ein Herz, das sich leer von jedem eigenen Sinn ganz zu dem Willen Gottes bekehrt. Calvin macht so seine eigene Erfahrung nicht nur zum Bezugspunkt seiner Theologie, sondern, wie er im Vorwort des Psalmenkommentars erklärt, zum Schlüssel seines Bibelverständnisses, und findet schließlich in der Bibel den Spiegel sowohl der göttlichen Wahrheit wie auch seiner eigenen Existenz.

Dieser Durchgang durch die drei Elemente des Vorsehungsglaubens bestätigt uns, daß er bei Calvin zu einer totalen Einfügung der menschlichen Existenz in das Handeln Gottes geführt hat. Dabei ist positiv festzuhalten: Calvin ist zu einer Synthese dieser drei Elemente gelangt, die faszinierend ist und viel weniger theoretisch als praktisch-theologisch bestimmt wird. Wenn es überhaupt dem Verständnis der christlichen Glaubensbotschaft angemessen und dienlich ist, Gottes Wirken und die Existenz des Menschen in der Welt in einen geschlossenen Systemzusammenhang zu bringen, so ist Calvins Lösung, die wir eine Ontologie der Providenz genannt haben, in ihrer Art unübertrefflich.

Es bleibt aber fraglich, ob nicht bei einer Vereinigung der Elemente des Vorsehungsglaubens unter einem Gesamtbegriff Gottes und der Welt diese Glaubensaussagen das Wichtigste eingebüßt haben, indem nämlich ihre Freiheit als nebeneinander bestehende lebendige Äußerungen des Glaubens an eine offene göttliche Verheißung dem Systemzwang einer geschlossenen Gotteslehre geopfert wurde. Damit wäre dann aber sozusagen die «Gesprächsfähigkeit» der Vorsehungslehre erloschen. Sie wäre nicht mehr fähig, Gott zu verkündigen, sondern nur noch, Gott zu rechtfertigen. Daraus müßte eine Überbearbeitung dieser Gedanken erfolgen, die in einer dauernden Überdeterminierung von Gottes Handeln weitere und weitere Kreise zieht. Es wäre nur noch eine Selbstvervollkommnung der einmal angebahnten Lehre möglich, was u.E. dann in der Orthodoxie sowohl mit der Vorsehungs- wie mit der Erwählungslehre geschehen ist. In Calvins Aussagen über die Vorsehung scheint uns noch genug Eigenleben, um eine letzte Vereinheitlichung und Festlegung immer wieder zu durchbrechen und die Vorsehung genau wie die Erwählung immer wieder für die Zukunft zu öffnen. Der Hauptgrund für die spätere Fixierung scheint uns nicht in der Vorsehungslehre zu liegen, sondern in deren systematischer Aussöhnung mit der Lehre von der doppelten Bestimmung des Menschen zum Heil resp. Verdammnis. Calvin hat diese Schwierigkeit gesehen und sie in verschiedenen Anläufen mit der verschiedenen Anordnung beider Lehraussagen zu überwinden versucht. Aber gerade damit wird klar, daß hier die Schwäche seiner Theologie zum Vorschein kommt. Er konnte sich aber nicht von dem dogmatischen Zwang zum System – aus Tradition und Erfahrung – lösen, der ihn zu einem geschlossenen Bild von Gottes Handeln trieb.

Der Zwiespalt zwischen Glaubensanliegen und theologischem System bei Calvin kann am besten an seinem Reden von Gottes Geheimnis dargestellt werden. Calvin betont immer wieder, daß Gottes letzter Ratschluß in Vorsehung und Erwählung ein Labyrinth und Abgrund sei, in den sich zu verirren dem Menschen nur Verderben bringen könne. Der Mensch muß sich an den offenbarten Gotteswillen halten. Daraus ist nun aber jedes Geheimnis entfernt. Die Offenbarung Gottes ist bei Calvin nicht nur Offenbarung Gottes, sondern ebenso Trennung von Geheimnis Gottes und offenbartem Gotteswillen. Das Offenbarte Gottes wird zur Glaubensontologie, das Nichtoffenbarte zur unerfaßbaren, ebenso Heil wie Unheil bergenden Transzendenz. Diese «Verdoppelung Gottes» findet sich als theologische Struktur nicht nur in der Vorsehungslehre Calvins. Dort haben wir gesehen, wie die Vorsehung eigentlich nur den Erwählten wirklich zugute kommt. Den andern bietet sich nur ein Schein-Anteil an deren Gütern, auf die sie im Grunde kein Anrecht haben. Calvin kann soweit gehen, sogar von einem Schein-Heil zu sprechen, in welchem sich diejenigen eine Zeitlang gefallen können, denen Gott das wirkliche Heil nicht gibt. Dieselbe Doppelheit Gottes tritt auch im Problem des verborgenen Erwählungsratschlusses auf und ist an vielen andern Orten in Calvins Theologie vorhanden. Zur totalen Inbeschlagnahme der menschlichen Existenz durch den offenbarten Gotteswillen gehört als Hintergrund der heimliche, der menschlichen Existenz unzugängliche Gotteswille. Diesem muß Calvin nun eine Art von metaphysischem Ausgleich zusprechen. Er regiert in Gerechtigkeit und Billigkeit. Alles Weltgeschehen fände von dort her seine Erklärung, wenn Gott sie nur geben wollte – aber es gehört mit zu seinem Wesen, daß er sie eben nicht gibt. Calvin hingegen gibt alle die Argumente über Gottes Handeln als Strafe,

Prüfung, Läuterung und Rettung der Gläubigen in einer Form, die bei ihm immer in der Gefahr steht, aus dem Ausdruck einer Glaubensgewißheit zur rationalen Erklärung eines im Grunde unfaßbaren Handelns Gottes zu werden. Calvin kann dabei auch die negativen, unverständlichen, vernichtenden Erfahrungen des Christen einbeziehen. Das ist das Großartige seiner Konzeption. Aber er kann sie nicht als solche stehen lassen. Es muß ihnen entsprechend seinem Begriff der göttlichen Vorsehung eine positive Sinngebung hinterlegt werden. Gott darf in keiner Erfahrung Geheimnis bleiben. Indem Gott gerechtfertigt wird, wird dem Menschen das Geheimnis Gottes genommen. Darum bleibt das von Calvin so betonte Geheimnis Gottes nicht ein Geheimnis der Gnade Gottes, eröffnet zum Heil, sondern es wird zum Geheimnis der in sich abgeschlossenen Ratschlüsse Gottes, in denen der Mensch beschlossen und in denen über den Menschen beschlossen ist. Es sei unbestritten, daß diese Konzeption im Calvinismus ungeheure geschichtliche Kräfte im Menschen fruchtbar gemacht hat. Ebenso muß aber gesagt werden, daß die Abgeschlossenheit göttlicher Vorsehung und Erwählung in eine unkontrollierbare Legitimation menschlichen Handelns umschlagen konnte.

In Verbindung mit dem vorhin erörterten Gesichtspunkt von Offenbarung und Geheimnis der Gnade Gottes fragen wir nun noch zuletzt nach der Vorsehung Gottes als Verheißung für die Existenz des Menschen. Der Ansatz der Providenzlehre als väterlicher Fürsorge verspricht zwar eine positive Lebensmöglichkeit. Er stabilisiert aber zugleich ein Verhältnis der Vorordnung Gottes als Schöpfer und Erhalter vor Gott als dem Versöhner oder gar als dem Vollender. Das Schwergewicht wird auf Gottes vorgefaßten Willen gelegt und nicht, wie man es umgekehrt fassen könnte, auf die dem Menschen voraus liegenden Verheißungen Gottes. Zustand und Geschehen der Welt sind Auswirkungen göttlicher Dekrete, die auf eine geschlossene Zukunft hinlaufen. Im Einzelnen ist der Mensch allen Erfahrungen der Geschichte ausgesetzt, im Gesamten aber ist er ihr überlegen. Die Welt ist zwar Ort des Heilsgeschehens, aber ihr Schicksal wird letztlich belanglos gegenüber dem Ausgang der Geschichte in Heil resp. Verdammnis des einzelnen.

M. a. W. hat Calvin u. E. die Polarität providentia specialis – philosophische Weltsicht durchgehalten, d. h. die außertheologische Abgrenzung der Providenz genügend geklärt. Hier lebt denn auch der Vorsehungsglaube, hier erscheint die Transzendenz Gottes als Verheißung. Hingegen hat Calvin die Polarität Vorsehung – Erwählung zwar angestrebt, aber u. E. nicht erreicht, d. h. die innertheologische Abgrenzung der Providenz nicht genügend geklärt. Hier hat der Vorsehungsglaube kein Leben mehr, hier verschließt sich die Transzendenz Gottes als decretum aeternum.

Teil II

GOTTES WELTREGIERUNG NACH SCHLEIERMACHERS GLAUBENSLEHRE

1. Weltregierung und Vorsehung

a) Behandlung in der Glaubenslehre

Schleiermachers Glaubenslehre «Der christliche Glaube» (1) hat nirgends die Vorsehung Gottes positiv zum Thema gemacht. Es gibt darin kein Lehrstück über die Vorsehung, ja, der Begriff kommt nicht einmal in den Lehrsätzen der einzelnen §§ vor. Dies ist zunächst ein verblüffender Befund. Selbstverständlich behandelt auch Schleiermacher diejenigen Themen, die z. B. bei Calvin oder in der orthodoxen Theologie unter dem Stichwort der Vorsehung erscheinen. Wenn man die Glaubenslehre daraufhin prüft, so stößt man auf zwei grundlegende Sachverhalte: die Ablehnung des Vorsehungsbegriffs als «ziemlich unbrauchbar» (2), und die positive Aufnahme des Begriffs der göttlichen Weltregierung in verschiedenen Leitsätzen und inhaltlichen Ausführungen sowie auch des Begriffs der göttlichen Vorherbestimmung und Erwählung. Sie finden sich in den §§ über die Erwählung (117–120) und in der Darstellung der göttlichen Eigenschaften in bezug auf die Erlösung (§§ 164 und 165). In der Lehre vom Gebet (§§ 146–147) spricht Schleiermacher ebenfalls nicht von Vorsehung, hingegen von der göttlichen Weltregierung und der durch das Gebet bewirkten Hinordnung des Einzelnen und der Kirche auf den Zweck der Sendung Christi, den Bestand und Fortgang seines Reiches, d.h. des von ihm gestifteten Reiches Gottes (3). In der Gotteslehre spricht Schleiermacher nicht von Schöpfung und Vorsehung, sondern von Schöpfung und Erhaltung. Die Ablehnung des Gebrauchs von Kategorien der orthodoxen Vorsehungslehre geschieht im Zusatz zu § 46 nach den grundsätzlichen Ausführungen über das Lehrstück: «Von der Erhaltung». In § 58.3 und § 165.3 finden sich – im Rahmen der Lehre vom Paradies resp. von der Weltvollendung – explizite kritische Abgrenzungen gegen Begriff und Inhalt der überkommenen Lehre von der Vorsehung.

1) Schleiermachers Hauptwerk wird im folgenden als «Glaubenslehre» bezeichnet und zitiert mit Paragraph, Band- und Seitenzahl.

2) § 164, 3/II, 443–444.

3) § 147, 2/II, 381–382.

Setzt man diese Angaben in Beziehung zur Gesamtdisposition der Glaubenslehre, so erkennt man einen zweiten grundsätzlich wichtigen Sachverhalt:

Der erste Teil (§§ 32–61) enthält die «Entwicklung des frommen Selbstbewußtseins, wie es in jeder christlich frommen Gemütserregung immer schon vorausgesetzt wird, aber auch mit enthalten ist» (4). Es handelt sich dabei um das «schlechthinnige Abhängigkeitsgefühl», in dem wir uns unser als Teil unserer Welt und damit eines allgemeinen Naturzusammenhanges bewußt werden (5). Es drückt sich darin das Verhältnis zwischen Welt und Gott aus (6), und daran angeschlossen werden von Schleiermacher die entsprechenden Eigenschaften Gottes resp. der Welt behandelt (7). Das Gefühl der «schlechthinnigen Abhängigkeit» ist ein frommes Selbstbewußtsein und ein frommes Naturgefühl in einem und muß abgesehen von dem christlichen Gehalt, an dem es jeweils haftet, im ersten Teil entfaltet werden (8). In diesem ersten Teil finden sich weder Aussagen über Vorsehung noch über die Weltregierung Gottes. Sie werden beide in den zweiten Teil verwiesen. Dort wird dann der Begriff der Weltregierung durchwegs positiv aufgenommen, derjenige der Vorsehung aber wiederum zurückgewiesen. Der zweite Teil entwickelt ja «die Tatsachen des frommen Selbstbewußtseins, wie sie durch den Gegensatz bestimmt sind» (9), d. h. den Gegensatz von Sünde und Gnade und dessen Überwindung durch die Erlösung. Hierin liegt das Eigentümliche der christlichen Frömmigkeit (10) resp. des christlich frommen Selbstbewußtseins. Deshalb gilt: «Alle eigentlichen Glaubenssätze müssen in unserer Darstellung aus dem christlich frommen Selbstbewußtsein oder der innern Erfahrung des Christen genommen werden» (11).

Da nun aber – so vervollständigen wir die Schlußfolgerung etwas abgekürzt (12) – alle göttlichen Eigenschaften Tätigkeiten sind – so auch die der Weltregierung Gottes – und diese auf Tatsachen des frommen Selbstbewußtseins bezogen sein müssen, können sie nur konkret ausgesagt werden, wenn es um das christlich fromme Selbstbewußtsein in bezug auf den Gegensatz geht. Sie müssen deshalb in Teil II zur Behandlung kommen. Sätze in

4) I, 171.
5) § 34 Leitsatz/I, 180.
6) § 34, 3/I, 182–183.
7) § 35 Leitsatz/I, 183.
8) § 34, 3/I, 183.
9) I, 341.
10) § 63 Leitsatz.
11) § 64, 1/I, 348.
12) § 64, 2/Zitat I, 351.

Beziehung auf die «göttliche Ursächlichkeit, wie sie sich in unserm schlechthinnigen Abhängigkeitsgefühl im allgemeinen abspiegelt», können nur von göttlichen Eigenschaften in abstrakter allgemeiner Art sprechen, wobei dann auch der christliche Charakter ganz zurücktritt (12). Solche Eigenschaften sind z. B. Ewigkeit und Allmacht Gottes, Paradies und Vollkommenheit der Welt (§§ 52–57 resp. 59–61). Vorsehung und Weltregierung Gottes sind hier sinnlose Aussagen, resp. werden als spezifisch christliche Aussagen in den Teil II verwiesen. Wie dies im einzelnen durchgeführt wird, sollen die beiden nächsten Abschnitte zeigen.

b) Kritik der Vorsehungslehre in der «Glaubenslehre» Teil I

Wir gehen von einer kurzen Gesamtübersicht über das Thema «Schöpfung und Erhaltung» in der Glaubenslehre aus. Der einführende Lehrsatz zum Lehrstück «Von der Erhaltung» erklärt:

«§ 46. Das fromme Selbstbewußtsein, vermöge dessen wir alles, was uns erregt, in die schlechthinnige Abhängigkeit von Gott stellen, fällt ganz zusammen mit der Einsicht, daß eben dieses alles durch den Naturzusammenhang bedingt und bestimmt ist» (13).

Die dahinterstehende göttliche Tätigkeit wird dementsprechend weder als zeitlich erfaßbar oder verschieden (14) noch als irgendwie wechselhaft (15) aufgefaßt. D.h. aber sie ist als spezifisch göttliche gar nicht auszumachen. Es darf gar nicht in Gott eine «auf menschliche Weise vereinzelte und geteilte Tätigkeit gesetzt» werden (16). Selbst aus der Schöpfungslehre wird die Idee eines Anfangs der göttlichen Tätigkeit ausgeschaltet (17), um das schlechthinnige Abhängigkeitsgefühl in seiner Reinheit nicht zu gefährden.

Folgerichtig dominiert denn auch die Erhaltung sowohl über den Begriff der Schöpfung wie auch über den der Vorsehung, als dem reinen Ausdruck des Grundgefühls der schlechthinnigen Abhängigkeit am angemessensten und dazu vorzüglich geeignet. Die Aussage über die Schöpfung dient hingegen v. a. weltanschaulich-dogmatischen Abgrenzungen, u. a. der wichtigen Vermeidung eines Widerspruchs zwischen Wißbegierde/Forschung und frommem Selbstbewußtsein (18).

13) I, 224.
14) § 41, 2/I, 202.
15) § 38, 2/I, 192.
16) § 46, 1/I, 227.
17) § 41, 2/I, 203.
18) § 39/I, 193–195.

Typischerweise zitiert Schleiermacher zur Begründung die Bekenntnisschriften der Reformationszeit, insofern sie von Gott als dem Schöpfer und Erhalter sprechen, läßt aber alle Formeln über gubernatio und providentia weg (19). Er findet sogar bei Calvin in dessen Begründung der Vorsehungslehre einen Satz, bei dem dieses Vorgehen möglich ist, nämlich die folgenden Ausführungen Calvins über die Erhaltung als Leitung der Welt zu eliminieren:

«Wir sollen uns gerade darin von den Weltmenschen unterscheiden, daß uns die Gegenwart der Kraft Gottes im fortdauernden Bestehen der Welt ebenso hell entgegenleuchtet, wie in ihrem Ursprung» (20).

Freilich kann Schleiermacher hier mit dem Unterschied von Weltmensch und Christ nichts anfangen, der als Gegensatz erst in Teil II behandelt werden kann. Das schlechthinnige Abhängigkeitsgefühl soll ja gerade etwas allen Menschen Gemeinsames, durch Frömmigkeit wirklich Werdendes sein (21), nicht etwa christlich Konkretes und Unterscheidendes.

Immerhin scheint uns in der positiven Fassung der Lehre von der Erhaltung eine bestimmte Aufnahme des Anliegens der Providenzlehre gewahrt. Auch Schleiermachers Interpretation des Begriffs der Allmacht Gottes gerät in die Nähe der Providenzlehre, wenn er die Allmacht als göttliche Ursächlichkeit faßt und dabei betont, daß «mithin auch alles wirklich wird und geschieht, wozu es eine Ursächlichkeit in Gott gibt» (22). Genau umgekehrt symmetrisch stehen dazu im Aufbau der Glaubenslehre die göttlichen Eigenschaften in bezug auf die Erlösung und damit die wichtigsten Aussagen über die Weltregierung (23). Am Schluß beider Abschnitte finden sich denn auch einander entsprechend explizite Abgrenzungen gegenüber der Vorsehungslehre.

Im Zusatz zum § 46 über die Erhaltung, den wir nun hauptsächlich behandeln, fehlt der Begriff der Vorsehung. Schleiermacher wendet sich darin gegen alles «scholastische» Zerspalten und Zerteilen des grundlegenden Satzes von der Ursächlichkeit Gottes resp. der Erhaltung der Welt. Dieser Begriff war in der von Schleiermacher hier attackierten orthodoxen Vorsehungslehre der erste der 3 Einteilungsbegriffe: Erhaltung (conservatio), Mit-

19) § 37/I, 187. Vgl. etwa Conf. Scot. Art. 1 in der vollständigen Fassung mit Schleiermachers Auszug oder die weggelassene Conf. Belgica Art. II (Niesel, BS, 84 und 120).

20) § 38/I, 190. Inst. I, 16, 1; bei Schleiermacher lat. zitiert, hier nach der Übersetzung von Weber.

21) § 4, 4/I, 30.

22) § 54/I, 279. Schleiermacher ist sich bewußt, daß hier die Neuartigkeit seiner Konzeption sich in einer Sachaussage ausdrückt, die man als häretisch verdächtigen werde, s. dazu I, 279 Anm. a.

23) § 164/165.

wirkung (concursus) und Regierung (gubernatio). Diese Einteilung in allgemeine, besondere oder besonderste Erhaltung wird von Schleiermacher abgelehnt. Im Hervorbringen vergänglicher Gestalten und Wesen in der Welt soll nicht so etwas wie ein Anfangen oder Aufhören von Gottes Willen mitklingen. Gott muß «außer allem Mittel und Gelegenheit der Zeit bleiben» (24). – Die Unterscheidung von Erhaltung und Mitwirkung kann nach Schleiermacher nur eine Abstraktion sein. Sie wird besser vermieden, denn in einem echten Sinn hieße Mitwirkung «eine verborgene Andeutung ..., als ob es in dem Endlichen eine Wirksamkeit gäbe, an und für sich also unabhängig von der erhaltenden göttlichen Tätigkeit, welches ganz vermieden werden muß» (25). Schließlich gehört auch der Begriff der göttlichen Regierung nicht an diese Stelle. Entweder enthält er nur, was im Grund-Satz der Erhaltung schon ausgesagt ist, «daß vermittelst aller in die Welt verteilten und in derselben erhaltenen (sic!) Kräfte alles nur so geschieht und geschehen kann, wie Gott es ursprünglich und immer gewollt hat» (26) – entsprechend der Beschreibung des Gefühls schlechthinniger Abhängigkeit. Oder aber es geht um «eine Erfüllung göttlicher Ratschlüsse oder eine Hinleitung aller Dinge zu göttlichen Zwecken» (27). Dann aber geht es um eine Frage des Gegensatzes, des von Gott Gewollten resp. Nicht-Gewollten, und das wäre «für unser christlich frommes Selbstbewußtsein nur das durch die Erlösung zu begründende Reich Gottes, also etwas außerhalb unserer gegenwärtigen Betrachtung Liegendes» (28).

Auf dieser Grundlage werden nun die weiteren traditionell in Zusammenhang mit der Vorsehungslehre stehenden Lehrstücke abgehandelt. Die Lehre «Von den Engeln» resp. «Vom Teufel» wird dabei an die Schöpfungslehre angeschlossen. Beide sind zur Ausführung von Gottes Ratschlüssen unnötig und deshalb kein Gegenstand dogmatischer Aussagen. Das Vertrauen auf den Schutz der Engel und die Abwehr der Macht der bösen Geister durch sie sind bedenkliche, ja «fast kindische Vorstellungen von Gott» (29). Immerhin hält Schleiermacher für beide Vorstellungen einen nicht «doktrinellen» (30) Gebrauch nicht nur für erlaubt, sondern für geradezu nötig. Die

24) § 46 Zusatz/I, 231.
25) Ebda.
26) § 46 Zusatz/I, 232.
27) Ebda.
28) § 46 Zusatz/I, 233.
29) § 43, 1/I, 209–210, ausdrücklich gegen Calvin (Inst. I, 14, 6).
30) Der Ausdruck steht § 44, 2/I, 214. Schleiermacher lehnt die beiden Möglichkeiten systematischer Aussagen über den Teufel – als Verursacher der Erbsünde oder als Werkzeug Gottes – ausdrücklich ab.

Engel dienen zur «Versinnbildlichung höherer Bewahrung, sofern sie sich nicht-bewußter menschlicher Tätigkeit bedient» (31). Die Vorstellung des Teufels taucht auf, «wenn wir vornehmlich in Beziehung auf das Böse an die Grenze unserer Beobachtung kommen» (32). Wird hier auch so etwas wie eine Grenze des Systems der Glaubenslehre in bezug auf die Fähigkeit zur Aufnahme biblischer Aussagen bei Schleiermacher selbst sichtbar? Das Grundmotiv der Abwehr beider Lehren wird in einem Satz sichtbar, der die Verbindung des dogmatischen und ethischen Denkens in seiner Zielsetzung bei Schleiermacher zeigt: Die echte Christlichkeit des Einzelnen soll gefördert und die Reinheit des Gottes- und Erlösungsbewußtseins verteidigt werden:

«Wie es nun schon übergenug wäre, wenn jemand im Vertrauen auf den Schutz der Engel die ihm übertragene Sorge für sich und andere vernachlässigen wollte: so gewiß noch gefährlicher, wenn statt strenger Selbstprüfung das aufsteigende Böse nach Belieben ... den Einwirkungen des Satans zugeschrieben würde.» (33).

Das Böse rechnet Schleiermacher unter die Übel (nicht umgekehrt!) und dessen Einwirkung auf das Leben stellt er in bezug auf Gott so dar, daß «jedes Endliche als eine Größe von Gott mit seinem Maß ungleich geordnet ist» (34). So wenig wie das Böse hebt ein als Wunder verstandenes Ereignis den Naturzusammenhang auf. Es gibt also auch keine providentia extraordinaria oder miraculosa (35). Ebensowenig darf nach Schleiermacher unter dem Gesichtspunkt der göttlichen Vorsehung eine Behandlung der Welt als

31) § 43,2/I,211.

32) § 45,2/I,221. Vgl. den Zusatz zu § 45 über die Veranschaulichung der «positiven Gottlosigkeit des Bösen» durch den Teufel (I,223).

33) § 45,2/I,222. Vgl. zur Grundlegung der Ethik bei Schleiermacher v. a. Stalder 128–344.

34) § 48,3/I,248–249. Vgl. dazu § 54,3/I,300 über Vorherwissen Gottes und Freiheit des Menschen, mit der Aufhebung der Vorsehung in den «stetigen Naturzusammenhang», sowie Schleiermachers Neujahrspredigt über «Gott als Maß und Ordnung aller Dinge» aus der 1. Sammlung Christlicher Festpredigten, in: Predigten von F. Schleiermacher. Neue Ausgabe, Bd. 1–4, Berlin 1843/44, Bd. 2, 85–103. Das alleinige Vertrauen auf die «göttliche Leitung» wird dort getadelt als «die sträflichste Gleichgültigkeit dagegen, ob der Wille Gottes durch uns geschieht mit unserm Willen oder wider denselben? und dadurch unterscheiden sich doch wesentlich die Diener und Freunde Gottes von denen, die nur seine Knechte und willenlose unbewußte Werkzeuge sind» (95).

35) § 47,2/I,238. Die Termini übernimmt Schleiermacher von Mosheim resp. Reinhard. Schon gar nicht könnte Schleiermacher Calvins Satz über Gottes Vorsehungswirken gelten lassen: «nunc mediis interpositis operetur, nunc sine mediis, nunc contra omnia media» Inst. I, 17, 1/OS III, 202, 10–11.

«gewordener Vollkommenheit» (36) erfolgen. Damit lehnt er die – aufklärerisch-philosophische – Lehre von dieser Welt als bester aller möglichen Welten genau so ab wie die Paradiesvorstellung als einer irdischen ursprünglich größeren Vollkommenheit (37). Vom üblen und guten Geschehen, wie von allem andern, was uns begegnet, kann man nur als von Gott geordnet sprechen. Auch zur Frage nach der Herkunft des Bösen gibt es keine andere Antwort, «als auf der einen Seite die göttliche Mitwirkung auf alles, was sich ereignet, gleichermaßen zu beziehn, auf der andern Seite zu behaupten, daß Übel an und für sich gar nicht, sondern nur als Mitbedingung des Guten und in Beziehung auf dasselbe von Gott geordnet sind» (38).

c) Weltregierung Gottes und Erwählung in der «Glaubenslehre» Teil II

Das schlechthinnige Abhängigkeitsgefühl und das damit verbundene Gottesbewußtsein kann – nach den einleitenden Aussagen des Teils II der Glaubenslehre – nie vollkommen, allein einen frommen Moment erfüllen. Es ist die als Zielpunkt gesetzte Gemeinschaft mit Gott, die durch das Erlösungswerk wirklich wird. Die Aussagen des Teils I sind somit in ihrem Gottesbewußtsein «von demjenigen abstrahiert, welches sich durch die Gemeinschaft mit dem Erlöser entwickelt hat. Und ebenso sind alle Sätze, welche eine Beziehung auf Christum ausdrücken, nur wahrhaft christliche Sätze, insofern sie keinen andern Maßstab für das Verhältnis zu dem Erlöser anerkennen, als wiefern die Stetigkeit jenes Gottesbewußtseins dadurch gehoben wird» (39).

Im zweiten Teil der Glaubenslehre wird also die konkrete Ausformung des christlich frommen Selbstbewußtseins dargestellt, die zugleich Träger und Antrieb zur Erreichung des reinen Gottesbewußtseins ist. Entsprechend gilt nun für unser Thema: Die im ersten Teil beschriebene Allursächlichkeit Gottes konkretisiert sich in der Weltregierung Gottes, deren Offenbarung Christus und deren Ziel die Gestaltung und Vollendung des Reiches der Gnade ist. Oder anders gesagt: Naturzusammenhang und Erlösungszusam-

36) § 58,3/I,313.

37) § 59 Zusatz.

38) § 48,3/I,249. Hier scheint uns der augustinisch-platonische Einfluß sehr deutlich zum Vorschein zu kommen. An die Stelle der von Schleiermacher abgelehnten Lehre von der besten Welt (seit Leibniz) und der Lehre von Urstand und Fall (beides in § 59 Zusatz) tritt hier in einem Rückgriff auf Platon eine Lehre vom denkbar besten Gott. Zu Schleiermachers Augustinismus vgl. Stalder 329–344; wichtig ist v.a. die von ihm gemachte Unterscheidung: augustinisch-platonisch, nicht: -neuplatonisch!

39) § 62. Zitat § 62,3/I,344.

menhang sind für den Christen eines. Gottes Weltregierung umgreift beides in der Gestaltung des Reichs der Gnade. Es ist «dies Hineingezogenwerden des Einzelnen, jedes zu seiner Zeit, in die Gemeinschaft Christi nur das Ergebnis davon, daß die rechtfertigende göttliche Tätigkeit in ihrer Manifestation durch die allgemeine Weltordnung bestimmt und ein Teil derselben ist» (40). Diese Weltordnung nennt Schleiermacher in bezug auf das Reich der Gnade «göttliche Vorherbestimmung» (41) und setzt sie ineins mit der «göttlichen Erwählung» resp. einem «göttlichen Wohlgefallen als letztem Grunde» (42) der Wiedergeburt. Im Blick auf die Frage nach der Wiedergeburt des gesamten menschlichen Geschlechts spricht Schleiermacher von einer «göttlichen Vorherversehung über das ganze menschliche Geschlecht» (43). Diese göttliche Weltregierung bringt es nun mit sich, daß «in das von Christo gestiftete Reich Gottes ... niemals alle gleichzeitig Lebende gleichmäßig aufgenommen sein» (44) können. Erwählung und Mitteilung des Geistes begründen die Kirche in ihrer Aussonderung aus der Welt (45). Diese Entgegensetzung und das Aufeinander-Einwirken von Kirche und Welt als Angezogen- und Abgestoßenwerden ist wie die ganze Geschichte der Kirche ein Werk der göttlichen Weltregierung (46). Die wichtigste Frage bleibt nun: Ist dieser Gegensatz auch ein Gegensatz in bezug auf das ewige Heil? Sind diejenigen, die unwiedergeboren sterben, nach dem Tode vom Heil gänzlich ausgeschlossen? (47). Schleiermacher verwirft die Lehre von einem doppelten göttlichen Ratschluß zur Manifestation göttlicher Barmherzigkeit und Gerechtigkeit an den Geretteten resp. Verlorenen. «... Gerechtigkeit und Barmherzigkeit dürfen sich nicht ausschließen, so daß die Barmherzigkeit sich an denselben zeigen muß wie die Gerechtigkeit, welches bei einem beständigen Ausgeschlossensein einiger von der mitgeteilten Seligkeit Christi nicht zu denken ist» (48). Deshalb zeigt sich ein Übergehen Gottes nur in bezug auf unsere irdischen Verhältnisse, für die man sagen kann, «daß die Erwählung sich immer nur im Gegensatz zur Verwerfung zeigt» (49). Die Übergangenen sind aber mit denen in der Kirche unter einer ein-

40) § 119,1/II,232, ebenso § 164,1/II,441/442.
41) § 119,1/II,233.
42) § 117,4/II,222.
43) § 118,1/II,225.
44) § 117 Leitsatz/II,220.
45) § 116,1/II,217.
46) § 117,2/II,221.
47) § 117,4 und Leitsatz § 118/II,223–224.
48) § 118,2/II,229.
49) § 119,2/II,234.

zigen in Christus offenbarten göttlichen Vorherbestimmung zur Seligkeit «befaßt» (50). Deshalb wird «alles zum menschlichen Geschlecht Gehörige irgendwann in die Lebensgemeinschaft Christi ... aufgenommen». Diese Vorherbestimmung wird nicht im Tod durch eine andere ersetzt, sondern erfüllt sich, wenn nicht vor, dann im oder nach dem Tod (51).

Damit allein gibt es keinen Widerspruch «zwischen der in der göttlichen Heilsordnung angenommenen Ansicht und dem durch die göttliche Weltordnung gegebenen Erfolg» (52), was sonst nach Schleiermacher bei allen Formulierungen der Bekenntnisschriften eintritt. Für ihn aber ist das Ziel des Wirkens Gottes so zu fassen:

«Es gibt eine göttliche Vorherbestimmung, nach welcher aus der Gesamtmasse des menschlichen Geschlechts die Gesamtheit der neuen Kreatur hervorgerufen wird» (53).

Interessant ist in bezug auf unser Thema, daß Schleiermacher seine Formel als eigentliche Interpretation Augustins verstehen kann und daß er sie mit Hilfe der Abwehr eines selbständigen Begriffs von Vorhersehung interpretiert: «Und immer bleibt die zusammengesetzte Formel falsch, die der Vorhersehung einen weiteren Umfang als der Vorherbestimmung anweiset» (54). Wo also – wir dürfen hier wohl ergänzen: wie in der ganzen westlichen Theologie seit Augustin – Vorsehung und Erwählung auseinander treten, da sind die göttliche Weltordnung und die göttliche Heilsordnung in Widerspruch getreten. Die Vorherbestimmung bezieht sich dann nur noch auf Einzelne statt auf das gesamte Menschengeschlecht, das Heil wird partikulär. Konsequent wäre dann «der Formel des Calvin» der Vorzug zu geben. Der letzte Sinn der Formel Schleiermachers aber, die im Gegensatz zur gesamten kirchlichen Tradition seit der Verurteilung der Allversöhnungslehre des Origenes aufgestellt wurde, kann erst unter dem Gesichtspunkt der Vollendung der Kirche dargestellt werden (55). Wir wenden uns also den entsprechenden Paragraphen zu. Die einschlägigen Ausführungen finden sich einerseits im Dritten Hauptstück der Glaubenslehre «Von der Vollendung der Kirche» §§ 157–163, die die Behandlung der eschatologischen Lehrstücke «von den letzten Dingen» (56) in sich schließen, anderseits in dem darauffolgenden dritten und letzten Abschnitt des Teils II der Glau-

50) § 119,2/II,235.
51) § 119,3/II,235.
52) § 119,3/II,236.
53) § 119,3/II,237.
54) Ebda.
55) § 119,3/II,238.
56) § 159 Leitsatz/II,416–417.

benslehre «Von den göttlichen Eigenschaften, welche sich auf die Erlösung beziehen» (57). Daß diese den eschatologischen Aussagen folgen, zeigt deutlich, daß die Glaubenslehre nicht die in eine endzeitliche Vollendung mündende Heilsgeschichte Gottes, sondern eben das christliche Selbstbewußtsein zum Ausgangs- und Orientierungspunkt hat. Die «erlösende oder neuschaffende Offenbarung» (58) ist das eigentliche Werk Gottes, die Ausbildung der Welt als die gut geschaffene gemäß «der ursprünglich der Weltordnung zum Grunde liegenden göttlichen Idee» (59) das eigentliche Werk des Christen. Christ und Kirche stellen den Ort dar, wo sich Werk des Vaters (Weltordnung) und Werk des Sohnes (Erlösung) vereinigen, als Werk des das fromme Selbstbewußtsein erweckenden Heiligen Geistes. Schleiermacher kann darum formulieren, daß «der Heilige Geist von der christlichen Kirche aus sich als die letzte weltbildende Kraft geltend macht» (60).

Eine entsprechende Tendenz der Einheit des göttlichen Wirkens im Heiligen Geist zeigt sich denn auch in Schleiermachers Trinitätslehre. In ihr kritisiert Schleiermacher das ungelöste Problem der Abstufung der 3 Personen und der Abstufung des Verhältnisses der Einheit des Wesens Gottes zu den 3 Personen (61). Seine eigene Lösung deutet er damit an, daß er die Ineinssetzung des Vaters mit der Beschreibung des Wesens der Einheit kritisiert (62), d.h. die klassische Formel pater fons et principium deitatis (63), in der im Grunde dem Vater der Vorzug gegeben wird (64). Schleiermachers eigene Ausführungen laufen darauf hinaus, sowohl die Aussagen über den Vater wie auch über den Sohn und den Heiligen Geist nicht auf die Geschiedenheit, sondern «auf die Einheit des göttlichen Wesens selbst» zu beziehen (65). Ja, das Gefälle der Ausführungen über die Trinität in Beziehung zum christlichen Selbstbewußtsein drängt zu einer von Schleiermacher freilich nicht in Angriff genommenen «auf ihre ersten Anfänge zurückgehende Umgestaltung» (66), und zwar in bezug auf die zitierte klassische Formel zur Umgestaltung: nicht der Vater ist der Ursprung der Gottheit, sondern der

57) II, 441 ff. = §§ 164–169.

58) § 169, 2/II, 454–455.

59) § 169, 3/II, 457.

60) § 169, 3 letzter Satz/II, 457. Vgl. dazu das Vorwort von Redeker, Glaubenslehre I, XXXII.

61) § 171 Leitsatz/II, 482.

62) § 171, 2. 5/II, 464. 468.

63) So nach Calvin Inst. I, 13, 23/OS III, 140, 10.

64) § 171, 5/II, 468.

65) § 173, 3/II, 473. Schleiermacher erwägt darum eine Wiederaufnahme des Sabellianismus.

Hl. Geist – spiritus fons et principium deitatis (nach einem Vorschlag von G. W. Locher).

In diesem Gesamtrahmen stehen nun die einzelnen Ausführungen über Weltvollendung und Weltregierung.

Für die Kirche in der Welt gibt es keine Vollendung, da sie immer wieder Welt in sich aufnimmt, d.h. im Konflikt mit der Sünde steht (67). Strenggenommen kann «... unser christliches Selbstbewußtsein gradezu nichts über diesen uns ganz unbekannten Zustand (sc. der Vollendung) aussagen...» (68). Er ist aber «Gegenstand unseres Gebets, und die vollendete Kirche ist sonach der Ort der vollständigen Erhörung desselben. So demnach wurzelt diese Vorstellung in unserm christlichen Selbstbewußtsein als die unter ganz unbekannten und nur schwankend vorstellbaren Bedingungen fortbestehende Gemeinschaft der menschlichen Natur mit Christo, aber als die, welche allein völlig frei von allem, was in dem Widerstreit des Fleisches gegen den Geist seinen Grund hat, gedacht werden kann» (69).

An der gottmenschlichen Person Christi selbst entsteht der Glaube an das Fortbestehen der menschlichen Persönlichkeit (70). Natur und Persönlichkeit beziehen sich hier auf die gesamte Menschheit, die nach Schleiermachers Ausführungen über die letzten Dinge als ganze Träger und Ziel der göttlichen Verheißung ist.

Dies darf nach Schleiermacher nicht durch eine biblizistische Eschatologie in Frage gestellt werden. Die bildlichen Reden Christi (71) reichen nicht aus, um den Zustand einer ewigen Verdammnis zu begründen. Er wäre eine Beeinträchtigung des «Erfolgs der Erlösung» (72) sowohl für die Erlösten wie für Gottes Weltregierung insgesamt. Auch aus den endzeitlichen Aussagen als bildliche Andeutungen Christi (73) lassen sich keine anschaulichen Vorstellungen ermitteln. Sie würden sonst ins Mythische oder Visionäre hinübergehen. «Und dieses waren überall die Formen des Prophetischen, welches in seiner höheren Bedeutung keinen Anspruch darauf macht, eine Er-

66) § 172 Leitsatz/II, 469. Vgl. dazu K. Barth, Nachwort ... 309–312, und P. Tillich, Syst Th I, 288 ff.: «Gott als Geist und die trinitarischen Prinzipien.» Zu Barth's früheren Aussagen betr. eine «Theologie des III. Artikels» bei Schleiermacher vgl. Hertel 18, 24, der aaO die Schleiermacherkritik der dialektischen Theologie erörtert.

67) § 157, 1/II, 409.

68) § 157, 2/II, 409.

69) § 157, 2/II, 410.

70) § 158 Leitsatz/II, 410.

71) § 163 Anhang/II, 437.

72) § 163 Anhang/II, 438–439.

73) § 158, 3/II, 416.

kenntnis im eigentlichen Sinn hervorzubringen, sondern nur schon erkannte Prinzipien anregend zu gestalten bestimmt ist» (74). Wie schon bei der Engels- und Teufelslehre, merken wir auch hier, wie offenbar das Bildhafte eine weitere Aussagedimension im Vergleich zu derjenigen der Glaubenslehre hat und sozusagen an deren Rändern erscheint.

Wir fassen schließlich Schleiermachers Gedanken über die Weltregierung Gottes und die Vorsehung zusammen. Die Weltregierung Gottes ist für das christliche Selbstbewußtsein wie alles andere nur in bezug auf die Wirksamkeit der Erlösung vorhanden. Der Zusammenhang von Schöpfung und Weltregierung wird in K. Barth bis in die Formulierung vorwegnehmender Weise ausgesagt:

«In dem christlichen Glauben, daß alles zu dem Erlöser geschaffen ist, liegt hingegen, daß schon durch die Schöpfung alles vorbereitend und rückwirkend eingerichtet ist in bezug auf die Offenbarung Gottes im Fleisch und zu der möglichst vollständigsten Übertragung derselben auf die ganze menschliche Natur zur Gestaltung des Reiches Gottes» (75).

Natürliche Welt und Reich der Gnade sind dabei «uns beide völlig eins» (76). Wiederum ist dabei kein Gegensatz in der göttlichen Ursächlichkeit und nur ein Ziel der göttlichen Weltregierung vorhanden, «so ist demnach die Kirche oder das Reich Gottes ... der eine Gegenstand der göttlichen Weltregierung, alles einzelne aber ist ein solcher nur als in diesem und für dieses» (77).

Von daher erfolgt nun im 2. Teil von § 164,3 die abschließende Kritik an der traditionellen Vorsehungslehre, die wir abschnittweise vollständig zitieren.

Zunächst stellt Schleiermacher vom Ganzen der göttlichen Weltregierung her fest:

«Hiernach wird uns die gewöhnliche Einteilung in eine allgemeine, besondere und allerbesonderste göttliche Vorsehung (78) ziemlich unbrauchbar. Denn soll die erste auf alle Dinge überhaupt gehn, die zweite auf das gesamte Menschengeschlecht, und die dritte auf die Frommen oder auf das Reich Gottes: es kommt uns doch alles nur in dieser letzten zusammen, weil sich auf ihren Gegenstand alles andere bezieht» (79).

74) § 163 Zusatz zu den prophetischen Lehrstücken/II, 440.
75) § 164, 1/II, 441.
76) § 164, 1/II, 442.
77) § 164, 3/II, 443.
78) So in der lutherischen Orthodoxie, nicht aber in der reformierten.
79) § 164, 3/II, 443.

Der Begriff der Vorsehung erweist sich aber auch von seiner Herkunft her als unbrauchbar, den innern Zusammenhang des ganzen göttlichen Weltregiments darzustellen, d.h. der Weltordnung, Vorherbestimmung, Erwählung und Erlösung:

«Überhaupt ist der Ausdruck Vorsehung fremden Ursprungs und aus heidnischen Schriftstellern zuerst in die späteren jüdischen Schriften und dann in die der christlichen Kirchenlehrer übergegangen, nicht ohne manche Nachteile für die klare Darstellung des eigentümlich christlichen Glaubens, welches durch den Gebrauch der schriftmäßigen Ausdrücke «Vorherbestimmung, Vorherversehung» würde vermieden worden sein. Denn diese sprechen viel klarer die Beziehung jedes einzelnen Teiles auf den Zusammenhang des Ganzen aus, und stellen das göttliche Weltregiment als eine innerlich zusammenstimmende Anordnung dar» (80).

Schleiermacher lehnt unter diesem Gesichtspunkt das Reden von Schicksal und das Reden von Vorsehung gleichermaßen ab, da nach ihm beides den Einzelnen und das einzelne Geschehen aus dem Zusammenhang des göttlichen Weltregiments herauslöst:

«Und so daß dies keinesweges mit dem Sinn des ebenfalls unchristlichen Ausdruck Schicksal zu verwechseln ist, wobei immer gedacht wird an ein Bestimmtsein des einzelnen durch das Zusammenwirken alles übrigen ohne Berücksichtigung dessen, was aus dem Fürsichgesetztsein des Gegenstandes hervorgegangen sein würde. Ganz ähnlich wird aber auch in dem Ausdruck Vorsehung vorzüglich gedacht eine Bestimmtheit des einzelnen ohne Berücksichtigung dessen, was sich aus seinem Zusammensein mit allem übrigen natürlich ergeben hätte; und auch diese Einseitigkeit ist dem Begriff der Vorherbestimmung fremd» (81).

80) Hier und im folgenden zit. aus § 164, 3/II, 444. Trotz diesem klaren Befund drückt sich Beißer 220 so aus: «Es ist klar, daß es demnach nur einen einzigen göttlichen Ratschluß gibt, nur eine einheitliche Vorsehung Gottes.» Von Vorsehung wird bei Schleiermacher gerade darum nicht gesprochen, weil für ihn dieser Begriff das Gegenteil der Einheit der göttlichen Weltregierung aussagt. Vgl. dazu die folgende Anm. 81.

81) Stalder hat gezeigt, daß in der Dialektik Schleiermachers Schicksal und Vorsehung als Begriffe für die Grenzen des philosophischen Urteils verwendet werden. Sie sind «Grenzbegriffe des Absoluten» (380), endliche Analogien der Transzendenz, aber nicht imstande, die Transzendenz Gottes anders als in einem quantitativen Unterschied zwischen Endlichem und Absolutem zu fassen. Sie können damit den transzendenten Urgrund Gottes nicht adäquat ausdrücken.

Freilich spricht auch Stalder dann von der «sich dem Glauben eröffnende(n) Vorsehung» Gottes und formuliert «Die Vorsehung bedeutet ihm ein Glaubensgeheimnis», was zumindest terminologisch nicht im Sinne Schleiermachers ist. Vgl. dazu den nächsten Abschnitt 2a im Text und im besonderen Anm. 102 zu Stalders Interpretation.

Da schließlich nach Schleiermacher die Sünde im Werk der Erlösung bei allen überwunden wird und, wenn auch noch nicht im Irdischen, aus der «Gesamtmasse des menschlichen Geschlechts die Gesamtheit der neuen Kreatur» hervorgehen wird, trägt er auch keine Bedenken, ein Grundproblem der Vorsehungslehre, nämlich die Frage nach der Verursachung der Sünde durch Gott, in von ihm selbst als schriftgemäß bezeichneter Konsequenz seines Systems zu beantworten. Diese letzten Sätze fassen zugleich seine ganze Anschauung vom Erlösungswerk Gottes zusammen:

«Daß aber in die göttliche Vorherversehung auch die Sünde mit eingeschlossen ist, wiewohl sie eigentlich der Idee des Reiches Gottes widerspricht, hat die Schrift selbst keine Scheu zu bekennen, sondern rechnet sie zu den vorbereitenden und einleitenden Elementen der göttlichen Weltregierung; und wir können auch als vollkommen in sich zusammenstimmend den göttlichen Ratschluß erkennen, daß alle Menschen an diesem früheren Zustande Anteil haben sollen vor der neuen Schöpfung, um an den Kräften der letzteren nur unter der das ganze menschliche Dasein bestimmenden Form des Gegensatzes teilzunehmen. Nur daß hieraus die oben schon aufgeregte (sic!) Schwierigkeit, die Vorstellung einer ewigen Verdammnis zu vollziehen, aufs neue einleuchtet, da es hier darauf ankommt, sie mit der Vorstellung einer göttlichen in sich einen und auf eines gerichteten Weltregierung zu verbinden».

2. Vorsehung und Transzendenz Gottes

a) Vorsehung als Begriff der Philosophie Schleiermachers

Schleiermacher wollte als Christ Philosoph und als Philosoph Christ sein. Dies hat er immer wieder betont (82). Wir haben zunächst keinen Grund, Schleiermacher entgegen seinen eigenen Äußerungen zu interpretieren (83). Wir finden im Gegenteil beim Problem der Vorsehung Gottes ein ausgezeichnetes Beispiel dafür, wie Schleiermacher dieses sein Programm verstanden und durchgeführt hat.

Es handelt sich dabei nicht um eine Alternative in der Sache – d.h. ob die Aussagen über die Vorsehung an sich philosophisch oder theologisch zu verstehen seien. Es geht bei Schleiermacher vielmehr um die Frage des Or-

82) Die wichtigsten Dokumente sind der Brief an Jacobi von 1818 und die beiden Sendschreiben über die Glaubenslehre an Lücke, vollst. abgedruckt in «Schleiermacher-Auswahl» 116–175. Vgl. dazu Birkner und G. Ebeling, W u G III, v.a. 71–74, 83–85.

83) Vgl. Birkner 13–17 und die dortigen Literaturangaben.

tes, an welchem dieser Gegenstand rechtens zur Sprache kommt (84). Die Basis der Philosophie, der Ausgangspunkt des Denkens, ist eine andere als die Basis der Glaubenslehre. Der spekulativen Selbstbegründung der Philosophie steht die Begründung der Glaubenslehre in der christlichen Erfahrung und Tradition gegenüber (85). Beide operieren allerdings mit einem philosophisch durchdachten Begriffsapparat – in der Glaubenslehre «dialektische Sprache und systematische Anordnung» genannt (86). Der Begriff der Vorsehung gehört nun nach Schleiermacher in die Philosophie, d.h. in die Gotteslehre der Dialektik, nicht in die Glaubenslehre von Gott (weder als Aussage des christlich frommen Selbstbewußtseins *noch* als Inhalt des Gefühls schlechthinniger Abhängigkeit). Dies bedeutet aber nicht Zusammenhanglosigkeit oder Beziehungslosigkeit, sondern genaueste Abstimmung philosophischer resp. theologischer Aussagen. Sie dürfen weder getrennt noch verschmolzen werden (87). Die Ausscheidung des Begriffs der Vorsehung aus der Glaubenslehre haben wir dargestellt und geben nun entsprechend eine kurze Darstellung seines Gebrauchs in der Dialektik. Wir stützen uns dabei auf die Vorlesungen Schleiermachers über die Dialektik, die er 1822 unmittelbar nach Beendigung der Glaubenslehre in ihre mehr oder weniger endgültige Form brachte (88).

Schleiermacher setzt sich – entsprechend seiner Gesamtkonzeption von Theologie und Philosophie – nicht einfach polemisch als Theologe mit den philosophischen Schulen früheren und zeitgenössischen Denkens auseinander, sondern entwickelt ein eigenständiges philosophisches System (89). Des-

84) Zu der hier gemeinten Unterscheidung vgl. K. Barth, Nachwort ... 307–310 und zwar die 4 sachbezogenen Fragenpaare mit dem 5. systembezogenen Fragepaar; sowie Birkner 43–44 und Anm. 66.

85) E. Jüngel, Das Verhältnis der theologischen Disziplinen untereinander in: Unterwegs zur Sache, Beitr. z. Evang. Theol. Bd. 61, 34–59, bes. 43 u. 47 (München 1972).

86) § 28 Leitsatz/I, 155 und § 28, 3/I, 159–160, vgl. Birkner 41. Eine entsprechende Verhältnisbestimmung findet sich auch in der Allgemeinen Einleitung zu: Die christliche Sitte, Schleiermacher-Auswahl, 65, und in der Dialektik (nach Stalder 309) vgl. Anm. 88.

87) G. Ebeling, Art. Theologie und Philosophie, RGG³ VI, 814. Ebeling wendet hier – bewußt? – klassisch-christologische Begriffe an, wenn er über Schleiermachers Bestimmung des Verhältnisses von Theologie und Philosophie sagt: «Hegels spekulative Verschmelzung beider liegt ihm ebenso fern wie Jacobis Empfindung der Unvereinbarkeit». Vgl. § 28, 2/I, 159–160, wo Schleiermacher gegen die Vermischung von Philosophie und Glaubenslehre sich wendet, wie auch dagegen, daß durch beides in der Natur des Menschen ein Widerspruch entstehen könnte. S. dazu später im Text.

88) Ed. R. Odebrecht Leipzig 1942, im folgenden zit. als Dial. Od. (Hs. = Schleiermachers Handschrift zur Vorlesung von 1822). Zu den Editionen der Dialektik vgl. die Einleitung bei Odebrecht v. a. XX–XXIII, Birkner 29 und Stalder 305–307.

89) Stalder 309–310.

sen Grundbestimmungen müssen wir in aller Kürze in unsere Darstellung einbeziehen. Schleiermacher befaßt sich grundsätzlich mit dem Problem der Bildung von Begriffen und Urteilen. Er bezieht sich dabei auf die Grundhaltung christlicher Philosophie als Begründung allen Wissens im Urgrund der Wahrheit Gottes. Nur dort ist die Identität von Geist und Sein zu finden, nicht beim Menschen, weder in dessen Denken noch in dessen Wollen (90).

Schleiermachers Dialektik dient dem Aufweis dieses Sachverhalts. Nach ihm kann das Denken nur auf Grenzbegriffe stoßen, jedoch nicht die Identität jenseits aller Gegensätzlichkeit finden (91). Schleiermacher unternimmt also eine Transzendentalanalyse in bezug auf Begriff und Urteil (92). Er gewinnt dabei eine Reihe von Grenzformeln, die das gesuchte Absolute, Unbedingte anzeigen. Deren kritische Sichtung erweist aber ihre Unzulänglichkeit, das Geheimnis des Urgrundes in der Einheit des Ausdrucks zu erfassen. Schleiermacher sagt darüber: «Sie enthalten alle etwas, was dem transzendenten Grunde eigen ist, aber sie stellen nicht die Einheit dar und bleiben auf untergeordneter Stufe stehen» und «Das Unzureichende liegt allein darin, daß wir, von der Beziehung zwischen Denken und Gedachtem ausgehend, im Gebiete des Gegensatzes stehen bleiben» (93). Diese Ausführungen stehen in der Dialektik unmittelbar nach den Abhandlungen über die Vorsehung. Sie münden in die Feststellung, daß die Identität von Sein und Denken nicht durch das Denken des Transzendenten gefunden werden kann: «Die Identität des Seins und Denkens tragen wir in uns selbst; wir selbst sind Sein und Denken, das denkende Sein und das seiende Denken... Wir dürfen aber nicht beim Denken stehenbleiben und nicht immer von diesem Prozeß ausgehen; denn der transzendente Grund des Seins kann kein Gedachtes sein... Wir müssen also von der Identität des Seins und Denkens in uns ausgehen, um zu jenem transzendenten Grunde alles Seins aufzusteigen» (94).

90) Stalder 318–319.

91) Stalder 320–321.

92) Stalder 328.

93) Dial. Od. 269–270 (Stalder 328).

94) Dial. Od. 270. Entsprechendes gilt dann von dem Verhältnis von Sein und Wollen aaO 279–286. Beides gipfelt in dem das Verhältnis von Sein, Denken und Wollen zusammenfassenden Satz, der das Gefühl als unmittelbares Selbstbewußtsein begründen hilft: «Der transzendente Grund des Seins wird somit nur in der Identität des Denkens und Wollens erkannt werden können, d. h. wenn beide einander durchdringen und sich wechselseitig ergänzen» (aaO 282).

In der Glaubenslehre § 3/I, 14–23 wird dieser Zusammenhang als Lehnsatz aus der Ethik dargestellt. Ethik ist dabei «der Naturwissenschaft gleichlaufende spekulative Darstellung der Vernunft in ihrer Gesamtwirksamkeit» (§ 2 Zusatz 2/I, 14), also u. E. die Dialektik mit umfassend.

Von daher findet Schleiermacher die Begründung des Gefühls als unmittelbares Selbstbewußtsein resp. des religiösen Gefühls, «und in diesem also ist der transzendente Grund oder das höchste Wesen selbst repräsentiert». Jede der 4 von Schleiermacher analysierten Formeln des Transzendenten «wird eine Beschreibung des Urgrundes dadurch, daß wir sie auf dieses Gefühl beziehen, sei es die Formel des absoluten Subjektes oder der Urkraft oder des welterschaffenden Gottes oder selbst des Schicksals».

Freilich sind deshalb diese Formeln nicht etwa ein umfassender und angemessener Ausdruck des transzendenten Urgrunds geworden, sondern es gilt:

«dasjenige Element des Selbstbewußtseins, welches zugleich jenen Formeln, jeder unter anderen Umständen, entspricht, ist die Repräsentation des transzendenten Grundes in unserem Selbstbewußtsein, und diese ist immer sich selbst gleich, und also die Ergänzung der fehlenden Einheit» (95). Dem Schicksalsbegriff (resp. dem Begriffspaar Schicksal–Vorsehung) entspräche also in der Glaubenslehre die Aussage von der Weltregierung Gottes.

Die vier Denkformeln für den transzendenten Grund allen Seins faßt Schleiermacher auch folgendermaßen zusammen:

«1. die natura naturans
2. die Gottheit im Gegensatz zur Materie
3. die Idee des Schicksals oder der Notwendigkeit und
4. die Idee der Vorsehung oder der Freiheit» (96).

Im Unterschied zur vorhin zitierten Vorlesungsniederschrift fehlt hier der Begriff des absoluten Subjektes. An dessen Stelle tritt die Idee der Vorsehung. Dadurch wird ausgedrückt, daß Schicksal und Vorsehung polare Formeln des Transzendenten sind. Der Begriff der Vorsehung besagt «eine transzendente Grundlage alles Seienden, welche die Freiheit nur als Schein, die Notwendigkeit aber als das Wirkliche darstellt» (97). Der Begriff des Schicksals besagt, daß «die Grundlage alles Seins eine solche isolierte Notwendigkeit sei, woraus sich niemals die Freiheit entwickeln könnte» (98). Beide gehören zusammen, indem sich beide «auf das Gebiet von Ursach und Wirkung (,) beziehen» (99).

Die Formel der «Vorsehung» kann Schleiermacher einerseits der natura naturans entsprechend sehen, anderseits näher bei der Idee der Gottheit, dank

95) Die drei letzten Zitate Dial. Od. 290 Hs. LI.
96) Dial. Od. 265.
97) Dial. Od. 264.
98) Dial. Od. 262.
99) Dial. Od. 265 Hs. Vgl. zum Folgenden den ganzen Abschnitt Hs. LXVI.

dem in diesem Begriff gegenüber dem des Schicksals enthaltenen positiven Faktor. Die Idee Gottes und die Idee der Vorsehung haben deshalb eine Neigung, sich gegenseitig zu einer natürlichen Theologie zu ergänzen. Da damit jedoch keine Einheit des Ausdrucks für den transzendenten Urgrund gefunden wird, kann Schleiermacher auch dieser Verbindung nicht als zureichender Aussage zustimmen:

«Es entsteht nun die Frage: Gibt uns dies eine Andeutung von dem transzendenten Grunde? Und diese können wir nicht anders als bejahen. Denn es bedarf eines Unbedingten zu dem absolut bedingten Kausalitätsgebiet, und also muß der Urgrund sich verhalten wie Schicksal, oder Vorsehung oder wie beides. Ebenso ist in der Kraft als solcher das Gebiet der Raum- und Zeiterfüllung nicht mit gesetzt, und doch bedarf sie dessen, um zu erscheinen. Also ist der Gegensatz von Kraft und Erscheinung auch ein Bedingtsein, wozu es eines Unbedingten bedarf, und so muß sich der Urgrund verhalten wie Gott oder Natur. Mißlungen ist uns das Unternehmen also nur in dieser Beziehung, nicht als Denkgrenze oder Quelle der Denkformen, sondern nur als Urgrund des Seins» (100).

Es führt also kein Weg von den Formeln des transzendenten Grundes zu den Aussagen über das fromme Selbstbewußtsein, auch nicht bei deren dialektischem In-Beziehung-Setzen.

Damit stoßen wir nun aber auf die Frage nach einer adäquaten Formel für das Ganze des transzendenten Grundes in der Glaubenslehre. Streng genommen dürfte es sie nach Schleiermachers philosophischen Bestimmungen gar nicht geben. Die Einheit, so sagte er, liegt im Menschen und dessen Selbstbewußtsein. Darin finden sich dann die verschiedenen, den unzureichenden philosophischen Formeln entsprechenden Repräsentationen des absoluten Urgrundes. So z. B. haben wir gezeigt, wie der Vorsehung die Weltregierung entspricht.

Anderseits fordert Schleiermacher die Einheit des Ausdrucks für den transzendenten Urgrund. Ist dies nur eine kritische Selbstbegrenzung seiner Philosophie? Oder ist es auch ein positives Postulat für die Glaubenslehre? Wir haben bereits festgestellt, wie die Begriffe «Gottes Weltregierung» oder «Allursächlichkeit» dahin tendieren. Wir wollen dasselbe noch an einem unserm Thema verwandten Begriff zeigen: dem Begriff «Ratschluß Gottes» in Verbindung mit «Anschauung Gottes».

Damit soll noch deutlicher werden, wie das Problem der Widerspruchsfreiheit der Glaubensaussagen das eigentlich philosophisch Prägende der Glaubenslehre ist. Die Identität von Denken und Sein im Selbstbewußtsein

100) Dial. Od. 266 Hs.

verträgt in der Glaubenslehre keine unzureichenden oder widersprüchlichen Aussagen wie diejenigen der Dialektik (101). Es ist dabei genau zu unterscheiden zwischen der Widerspruchsfreiheit zwischen Theologie und Philosophie einerseits – wie in diesem Abschnitt dargestellt – und der Widerspruchsfreiheit d.h. Einheitlichkeit der Aussagen der Glaubenslehre (102). Erstere hat Schleiermacher unseres Erachtens tatsächlich durchgehalten, letztere konnte er nicht ganz durchhalten und an den entsprechenden Stellen sind die Grenzen seines Vorgehens deutlich: Die positive Antithese Theologie–Philosophie findet ihre Entsprechung in einer Synthese von Mensch, Gott und Welt (103).

101) § 28,3/I,160. Vgl. Anm. 87.

102) Stalders Interpretation der Gedankengänge Schleiermachers über das In-Beziehung-Setzen der Formeln der Transzendenz zum religiösen Gefühl können wir nicht völlig teilen. Er sieht das Verhältnis u.E. zu sehr als Synthese, wenn er urteilt: «Im Adäquat-setzenwollen mit dem ‹transzendenten Grunde› vollzieht sich das nunmehr allein analoge Erkennen des Absoluten, in einer Ausrichtung also auf das existentielle Gottesbewußtsein des Menschen» (383). Die Verwendung des Begriffs analog zeigt doch wohl eine vorausgesetzte Entsprechung von Denken und Glauben. Die Modifikationen, welche die «unzureichenden Formeln der Transzendenz» erfahren, wenn sie mit einem Element des Selbstbewußtseins in Beziehung gebracht werden, können dann folgerichtig, wie Stalder sagt, nur in deren Konkretion bestehen. Nach Schleiermacher werden sie aber auch durch sachlich andere Begriffe ersetzt! Ebensowenig scheint uns deshalb der Begriff des Übergangs vom Denken zum Glauben auszureichen. Stalder sagt: «Wo das Denken das Geheimnis des absoluten Seins berührt, steht es in der Übergänglichkeit zum Glauben» (384). Aber dagegen ist einzuwenden: Das Element des religiösen Selbstbewußtseins, welches einer jener Formeln des Transzendenten entspricht, spricht sich nicht in ihnen aus. Dies konnten wir an der Ausschaltung des Begriffs der Vorsehung aus der Glaubenslehre zeigen. Wäre dem nicht so, dann wäre Schleiermacher tatsächlich ein guter – katholischer Theologe. Die Nähe Schleiermachers zum Katholizismus konstatierte schon F. Flückiger, Philosophie und Theologie bei Schleiermacher, Zollikon-Zürich 1947, kritisiert bei Hertel 24.

103) An dieser Stelle sei wenigstens für einmal auf die Parallelität zur Argumentationsweise Schleiermachers in Tillichs Gotteslehre hingewiesen. Tillich beschreibt wie Schleiermacher das philosophische Denken als «doppelte Bewegung vom Relativen zum Absoluten und vom Absoluten zum Relativen» (Syst. Th. I, 268) und Gott als «Sein-Selbst» resp. als «Grund des Seins und des Sinnes» (aaO 273–275 und 311), d.h. als Grund von Natur und Geschichte. Uns scheint, daß das, was Schleiermacher noch als «Andeutung des transzendenten Grunds» bezeichnete, bei Tillich zu einer Verbindung spekulativer Dialektik in einem übergeordneten Gottesbegriff wurde. Inwieweit Schleiermacher selbst dann in der Glaubenslehre diesem Ergebnis auch nicht ausweichen konnte, dazu s. im folgenden im Text. Vgl. dazu Schleiermachers Korrelation von Gott, Welt und Mensch Dial. Od. 297–307 und dazu Hertel 245.

b) Gottes Ratschluß und Anschauen Gottes

Der Begriff des Ratschlusses Gottes wird in der Glaubenslehre nach denselben Grundsätzen entwickelt wie derjenige der Weltregierung Gottes. Eine Erfüllung göttlicher Ratschlüsse kann im Teil I nicht zur Sprache kommen, da der Begriff einen Gegensatz in sich enthält und eine auf die Erlösung gerichtete Zweckbestimmung umfaßt (104). Denn «ein Satz, der einen göttlichen Ratschluß ausspricht, ist nicht ein Ausdruck des unmittelbaren Selbstbewußtseins. Wenn aber richtig und vollständig zum Bewußtsein gebracht wird, was in der Welt durch die Erlösung gesetzt ist: so ist eben damit auch der Inbegriff der göttlichen Ratschlüsse gegeben» (105).

Im Teil II wird dann der Begriff positiv aufgenommen und verwertet, sowohl für die Aussagen über die Erlösung als auch für deren Beziehung zur Schöpfung. Dabei wechselt der Gebrauch vom Plural in den Singular. Schleiermacher sagt im Zusammenhang der Erlösung, das Kommen des Erlösers, die Vereinigung von Gottheit und Menschheit Christi, beruhe auf einer ewigen vereinigenden göttlichen Tätigkeit, die uns aber nur als Ratschluß sichtbar ist. Im Kommen des Erlösers verwirklicht sich jener ewige Ratschluß in Raum und Zeit. Er ist aber «als solcher auch schon mit dem Ratschluß der Schöpfung des Menschen identisch und in demselben mit enthalten» (106). Dies wird in dem grundlegenden § 94 über die Gleichheit resp. Unterschiedenheit des Erlösers zu den Menschen in Parallele zur Erschaffung des Menschen so ausgeführt: «ist das schöpferische Werk erst durch die zweite gleich ursprüngliche Mitteilung (sc. des Geistes) an den zweiten Adam vollendet: so gehen doch beide Momente auf *einen* ungeteilten ewigen göttlichen Ratschluß zurück, und bilden auch im höhern Sinne nur *einen* und denselben wenn auch uns unerreichbaren Naturzusammenhang» (107).

Der Begriff «Ratschluß Gottes» wird also nicht zum Hintergrund oder zur Rechtfertigung einzelner geschichtlicher Ereignisse. Es gibt keinen «unbedingten Ratschluß über einen Einzelnen, indem alles einzelne einander gegenseitig bedingt, sondern (erg.: unsere Darstellung) erkennt nur *einen* unbedingten Ratschluß, durch welchen nämlich das Ganze in seinem ungeteilten Zusammenhang, vermöge des göttlichen Wohlgefallens, so ist, wie es ist» (108). Deshalb gibt es eben auch keinen partikularen Erwählungsrat-

104) § 46 Zusatz/I, 232 = Anm. 27.
105) § 90, 2 Schluß/II, 28.
106) § 97, 2/II, 62–63.
107) § 94, 3 Schluß/II, 48, Hervorhebungen im Original.
108) § 120, 4/II, 246.

schluß. Der Ratschluß, in dem sich Gottes Tätigkeit als vereinigende in Schöpfung und Erlösung verwirklicht, bezieht sich auf alle und auf alles. Er verwirklicht sich als «vollkommne Darstellung nicht minder des göttlichen Wohlgefallens als der göttlichen Allmacht» (109).

Wir finden hier eine Ineinssetzung der Begriffe des Erlösungswerks (Gottes Wohlgefallen) und des Schöpfungswerks (Gottes Allmacht). Der Begriff des Ratschlusses Gottes verbindet beides. Er wird anhand des Erlösungswerks Christi gewonnen, als Aussage des frommen Selbstbewußtseins. Er bezieht aber von daher auch die Aussagen über Gott in Teil I der Glaubenslehre mit ein und bildet eine Verklammerung beider Teile: Gott als Wirkender bleibt sich in seinem Ratschluß gleich.

Allerdings erscheint nun der Gesamtzusammenhang doch als ein hinter den Ratschlüssen Gottes Verborgenes. Denn die Ratschlüsse Gottes sind uns in ihrer Verwirklichung zugänglich, als Naturzusammenhang aber unerreichbar. Ist hier die Ewigkeit Gottes hinter den uns zeitlich zugänglichen Ratschlüssen verborgen? Es fällt schwer, Schleiermacher nicht doch so zu interpretieren, daß die eigentliche Transzendenz Gottes nicht in, sondern über seinem Ratschluß zu finden resp. eben nicht zu finden ist, sondern allenfalls anzuschauen, anzustaunen.

Wir finden hier also doch ein letztlich philosophisch geprägtes Zusammendenken des geschichtlichen Auseinandertretens der göttlichen Ratschlüsse von Schöpfung und Erlösung vor. Wie schon beim Verhältnis Philosophie–Glaubenslehre (außertheologische Polarität) darf auch in den Aussagen der Glaubenslehre selbst (innertheologische Polarität) (110) kein Widerspruch auftreten. Er wird bis ins letzte vermieden. Dadurch droht der Gott der verschiedenen Tätigkeiten, der Gott der Offenbarung, zum Gott des unerreichbaren Naturzusammenhangs zu werden.

Schleiermacher wehrt sich dagegen in seiner Trinitätslehre: «Denn da wir es nur mit dem in unserm Selbstbewußtsein und mit dem Weltbewußtsein gegebenen Gottesbewußtsein zu tun haben: so haben wir keine Formel für das Sein Gottes an sich unterschieden von dem Sein Gottes in der Welt, sondern müßten eine solche aus dem spekulativen Gebiet erborgen, mithin der Natur unserer Disziplin untreu werden» (111). Schleiermacher will auch die Trinität nicht als eine solche Formel erscheinen lassen: ausdrücklich soll «unser Glaube an das Göttliche in Christo und in der christlichen Gemeinschaft seinen angemessenen dogmatischen Ausdruck finden», ohne daß vorher die

109) Ebda.
110) Vgl. zu diesen Begriffen S. 48.
111) § 172, 2/II, 470.

Trinitätslehre vorausgesetzt oder auch nur behandelt werden müßte (112). Die kirchliche Trinitätslehre betont für Schleiermacher zu sehr die Geschiedenheit Gottes in sich (113). Die göttliche Ursächlichkeit muß ungeteilt bleiben (114).

Ist aber an die Stelle des trinitarischen Gottesbegriffs dafür der eine göttliche Ratschluß resp. über oder neben diesem der uns unerreichbare Naturzusammenhang getreten, dann ist etwas von dem philosophischen Transzendenzbegriff, den Schleiermacher aus der Glaubenslehre fernhalten wollte, doch durch die Hintertür wieder eingedrungen und hat nicht nur einem einheitlichen, sondern monistisch angehauchten Gottesbegriff Platz gemacht, der dem einheitlichen, anschauenden frommen Gefühl in etwa entspricht.

Man könnte nun versucht sein, die von Schleiermacher angegebenen Linien so auszuziehen, daß die obige Konsequenz zunächst vermieden würde. Man könnte versuchen, die Begriffe

a) des göttlichen Ratschlusses und der damit verbundenen göttlichen Weltregierung,
b) der göttlichen Dreieinigkeit und
c) der göttlichen Allursächlichkeit

nebeneinander als Versuche der begrifflichen Annäherung von verschiedenen Ausgangspunkten her zu verstehen. So sagt Schleiermacher selbst: «daß die Aufgabe nur durch Annäherung gelöst werden kann, und daß deshalb immer Formeln, die von entgegengesetzten Punkten ausgehen, in Bewegung gegeneinander bleiben müssen» (115). Darf man dies auch auf seine eigene Theologie anwenden? Dann wären die drei genannten Formeln a)–c) der biblisch-geschichtliche, der kirchlich-fromme und der spekulativ-philosophische Aspekt einer Beschreibung Gottes, der unter keinem dieser Aspekte ganz begriffen werden kann, aber als Ganzer Geschichte, Frömmigkeit und Denken trägt und prägt? Dann wäre keine der drei Formeln der andern als zureichende Formel der Transzendenz übergeordnet, ihre Abfolge wäre nur noetisch oder historisch zu differenzieren und die Transzendenz Gottes erst in deren Zusammensein und Auseinandertreten wirklich für die Gegenwart eröffnet. Damit wäre schließlich auch Schleiermachers Forde-

112) § 172, 3/II, 471.

113) § 171, 4/II, 467.

114) § 171, 4/II, 466.

115) § 164, 3/II, 444.

116) Vgl. zur Terminologie Schleiermachers Stalder 347 und Anm. 81. Die hier vorgetragene Interpretationsmöglichkeit scheint uns derjenigen von Hertel nahezustehen. Hertel schreibt: «Damit wird von Schleiermacher Gott im Zusammenhang des Denkens nicht als Gegebenheit erfaßt, sondern als Geschehen verantwortet» (244, vgl. 224.

rung aus der Dialektik Genüge getan, daß kein Begriff oder Urteil gebildet werden kann, der Denken und Sein eines Wesens umfaßt, sondern hier dann die obere Grenze des Denkens überschritten würde (116).

Aber selbst bei dieser uns sachlich faszinierenden Interpretation bliebe doch das Problem der Widerspruchsfreiheit, der Einheit aller Gegensätze in Gott und damit schließlich grundlegend der Schau eines universalen Heilszusammenhanges, der dem geschichtlichen Standort des christlichen Bewußtseins kaum mehr Rechnung trägt. Schleiermacher hat die Ergebnisse seiner Methode nicht umsonst «divinatorische Heterodoxie» genannt, «die schon noch zeitig genug ... orthodox werden wird» (117). Glaubenslehre wird entweder Annäherung an den unerreichbaren Gott oder eschatologischer Vorgriff auf das Schauen der göttlichen Herrlichkeit in ihrer Einheit.

Ein entsprechendes Bild ergibt sich bei der Analyse einer Passionspredigt Schleiermachers vom Sonntag Judica 1833 über Apg. 2,29. Sie ist für uns besonders interessant, weil der Predigttext die uns interessierenden theologischen Begriffe mit dem Leiden Christi verbindet (nach dem von Schleiermacher benutzten Luthertext):

«Denselbigen (sc. Jesus von Nazareth) nachdem er aus bedachtem Rat und Vorsehung Gottes ergeben war, habt ihr genommen durch die Hände der Ungerechten und ihn angeheftet und erwürget» (118).

Schleiermacher unterscheidet in seiner Auslegung «zweierlei, was wir überall in dem Gebiete menschlicher Dinge ebensosehr unterscheiden müssen als auch wieder beides aufeinander beziehen ... der göttliche Ratschluß und die menschliche Tat» (119). Auch hier wird der Begriff der Vorsehung – außer bei Textwiederholungen – ohne Erläuterungen sofort weggelassen und taucht nicht mehr in der Predigt auf. Diese geht so weiter:

«Jener ist überall und in allen Fällen das Werk der allmächtigen göttlichen Liebe – denn Allmacht und Liebe können wir in dem höchsten Wesen nirgend und in keiner Beziehung voneinander trennen –, und der Höchste weiß auch die verderbte, auch die seinem Gebot widerstrebende menschliche Tat zu dem Ziele hinzuführen, unter welches er alles beschlossen hat. So war

230.249). Wichtig auch sein Hinweis auf die Bedeutung des Begriffs «Beschreibung» bei Schleiermacher: «Beschreibung menschlicher Lebenszustände», aus denen sich die «Begriffe von göttlichen Eigenschaften und Handlungsweisen» und die «Aussagen von Beschaffenheiten der Welt» ergeben (219, nach § 30 Leitsatz/I/163).

117) Schleiermacher-Auswahl 139 (1. Sendschreiben an Dr. Lücke).

118) Schleiermacher-Auswahl 213–233, nach: Predigten von F. Schleiermacher, Neue Ausgabe, 4 Bde. Berlin 1843–44, Bd. 3, 529–541. Die Seitenzahlen im folgenden nach Schleiermacher-Auswahl.

119) aaO 213.

es auch mit dem Ratschluß Gottes, durch den der Erlöser ergeben war, damit er durch Leiden und Tod vollendet und mit Ruhm und Preis gekrönet würde. Aber das andere, das ist die menschliche Tat, die abgesehen davon, wozu der göttliche Ratschluß sie hinführt, an und für sich ihrem inneren Gehalte, ihrem geistigen Werte und dem Verhältnisse nach beurteilt werden muß, in welchem sie zu dem gebietenden göttlichen Willen steht, welchen jeder in dem Innern seiner Seele vernimmt» (120).

Das Verhältnis von Willen Gottes und freier Tat und Schuld des Menschen ist hier nicht anders als bei Calvin gefaßt. Es interessiert uns aber im folgenden v.a. die Frage des Verhältnisses von Leiden und göttlichem Ratschluß. Zunächst betont Schleiermacher in einer Anwendung der klassischen Zweinaturenlehre: Christus leidet nicht unter dem göttlichen Ratschluß. Zwischen ihm und Gott ist kein Widerspruch, «wie überall, so auch da, war der Wille des Vaters sein eigener Wille» (121). Gethsemane wird hier nicht erwähnt, sondern die johanneischen Abschiedsreden. Christus litt unter der Last der Sünde, die im Todesurteil kulminierte – was sich genau mit der «reinste(n) Ergebung in den göttlichen Willen», der «völligste(n) Zustimmung seines Herzens, den Kelch zu trinken» (122) vereinigen läßt. Zugleich war mit diesem Urteil das Zeitalter der Feindschaft gegen die Christen eröffnet «und die Hitze der Verfolgung wurde noch übertroffen von dem Ärgernis des Kreuzes», anstatt daß «alle Segnungen seines Daseins sich in ruhigem Fortschreiten über das menschliche Geschlecht verbreiten» (122) konnten.

«Und wie der Erlöser des Zusammenhangs menschlicher Dinge wohl kundig war und wußte, was der Menschen Herz bewegt, und welchen Einflüssen es zugänglich ist: so mußte auch diese sich so oft wiederholende Schuld, welche seinem Reich so viel Hemmungen bereitete, schwer auf seiner Seele liegen in diesem Augenblick, und das war die herbeste Bitterkeit des heilsamen Kelches, welchen sein Vater ihm zu trinken reichte» (123).

Der Schmerz des Erlösers entsteht also aus der Sünde, die in der Selbstsucht als schlimmster Auswirkung (124) seinen Tod bewirkt und sich nachher der Ausbreitung seines Reiches hemmend in den Weg stellt. In diesem Zusammenhang gebraucht Schleiermacher nun auch den Begriff der Macht des Bösen, die sich Gottes Werk entgegenstellt, aber entsprechend seiner

120) aaO 214.
121) aaO 215.
122) aaO 222.
123) aaO 222–223.
124) aaO 220.

Grundkonzeption und entgegen dem historisch-biblischen Verständnis als Macht der Menschen verstanden. Er sagt über die Verfolgungszeiten:

«So hatte sich die Kraft des Bösen zusammengedrängt in diesem Augenblick des Urteils über den Erlöser, daß eine Reihe von ähnlichen Handlungen sich daran knüpfte und ein Kampf entstand, von welchem mit Recht die Apostel des Herrn sagen konnten, Wir haben nicht zu kämpfen mit Fleisch und Blut, d.h. nicht nur gegen das, was der einzelne Mensch vermag, sondern mit den Mächten und Gewalten der Erde (vgl. dagegen: ‹der Beherrscher dieser Welt der Finsternis, der Geisterwesen der Bosheit›, Eph. 6,12. Anm.d.A.), denn das ist die vereinte Kraft des Menschen, welche glaubten, Recht und Ordnung zu handhaben, indem sie das Werk Gottes, die größte Wohltat für das menschliche Geschlecht, zu zerstören suchten» (125).

Im Schlußteil der Predigt sagt nun Schleiermacher über seine eigene Zeit:

«Jetzt, meine andächtigen Freunde, liegen die Zeiten der Verfolgung um des Evangelii willen hinter uns, das Ärgernis des Kreuzes, es hat Raum gemacht der Verehrung ... auch diese schöne, ruhige Zeit der Herrschaft des Evangeliums hat er in seinem Geiste geschaut» (126).

Diese Zeit hat Christus selbst verkündigt, als er voraussagte, des Menschen Sohn werde in der Kraft von oben kommen. In der Wirklichkeit der Erlösung in der jetzigen Kirche vollendet sich das Geschehen der Wiederkunft. Es sind höchstens noch Spuren der gottfeindlichen Selbstsucht vorhanden. Die Christen werden aufgefordert, sie «dadurch zu überwinden, daß wir uns hingeben dem Anschauen seiner Herrlichkeit, daß wir uns überlassen der Kraft von oben, mit der er waltet: auf daß es auch durch uns immer mehr wahr werden, daß er sein Leben gelassen hat, auf daß er es wiedernehme, so wiedernehme, wie er verheißen hat, unter uns zu sein alle Tage bis an das Ende der Welt. Amen» (127).

Wir finden in dieser Predigt die aus der Darstellung der Glaubenslehre vertrauten Elemente wieder: den Gedanken des einheitlichen göttlichen Ratschlusses, das Vermeiden des Begriffs der Vorsehung (vielleicht hier unter der Abwehr des Vermischens menschlicher Tat und göttlichen Ratschlusses mit anvisiert), die Ablehnung eines selbständigen Charakters des Bösen, die Erlösung der Welt durch das Wirken des Erlösers in der Kirche und die Zuspitzung auf das Werk des Heiligen Geistes. Die Predigt geht nun aber noch einen Schritt weiter. Sie zeigt von der Praxis her das Recht der Deutung der Glaubenslehre als eschatologischem Vorgriff auf das Schauen der göttli-

125) aaO 221.
126) aaO 223.
127) aaO 223.

chen Herrlichkeit in ihrer Einheit. Die Zeit des Kreuzes ist vorbei. Der Standort des Christen ist im Reich des Geistes. Die Predigt mündet in das «Anschauen seiner Herrlichkeit». Was ihn noch von dem Zustand ewiger Seligkeit unterscheidet, ist einzig dies, daß der jetzige Zustand noch nicht «unveränderlich und ungetrübt» ist (128). Die Betonung liegt aber eindeutig bis hin zur geschichtlichen Wirklichkeit, dem Standort des frommen christlichen Selbstbewußtseins, auf dem «jetzt schon», mehr auf dem Schauen als auf dem Glauben (I. Kor. 13, 12: Wir wandeln im Glauben, nicht im Schauen). Erkenntnis des Glaubens wird im eschatologischen Vorgriff zur Schau Gottes. Eine Lehre von Gottes Vorsehung wird daher letztlich gegenstandslos.

3. Systematische Zusammenfassung und Kritik

Wir haben versucht, die Synthese Schleiermachers eher mit Gewicht auf dem eschatologischen Vorgriff als auf dem philosophischen Transzendenzdenken zu interpretieren. Es ist aber so, daß beides sich bei Schleiermacher gemäß dessen eigener programmatischer Absicht bestens ergänzt. Die augustinisch-platonische Gottesschau verbindet sich mit dem Stehen der Christen im Geist Gottes.

Wir haben keinen Grund, anzuzweifeln, daß Schleiermacher hier für seine Existenz eine geglückte Synthese von Philosophie und Theologie gefunden hat. Die Philosophie nahm bei ihm nicht einen feindlichen, aber auch nicht nur einen dienenden, sondern einen an bestimmte Funktionen gebundenen konstitutiven Platz ein. Das war das Ergebnis seines Werdegangs zum Theologen und seiner persönlichen Erfahrung mit Frömmigkeit und Philosophie. Er war entschlossen, zwischen den Erfahrungen seiner Frömmigkeit und den Erkenntnissen seines philosophischen Denkens keinen Widerspruch aufkommen zu lassen (129). Diese beiden Elemente standen fest,

128) § 163 Leitsatz/II, 433. Wir nehmen hier und im folgenden z. T. die Kritik Brunners an Schleiermacher, 256–276, wieder auf.

Zur Eschatologie Schleiermachers vgl. v. a. das Werk von Seifert. Er charakterisiert sie als immanente Eschatologie nach dem Vorbild des Johannes-Evangeliums, so, «... daß dadurch sowohl Hoffnungen als Befürchtungen erstickt werden in der Gewißheit des Besitzes» (Schleiermacher Briefe I, Bd. IV, 374 ff.) 189, vgl. zum Thema 187–190.

Die Betonung des «johanneischen Typus» von Schleiermachers Theologie findet sich schon bei O. Kirn, Art. Schleiermacher, RE³ 17, 617.

129) Vgl. zur persönlichen Entwicklung Schleiermachers Stalder 43–45; Hertel § 10: «Die theologische Entwicklung Schleiermachers bis zum Erscheinen seiner Glaubenslehre», 237–278; G. Ebeling, WuG III, 60–95; Kantzenbach 12–39.

bevor die Theologie ihren Platz finden konnte, als Darstellung kirchlichen Glaubens gegründet auf den Erfahrungen der Frömmigkeit und geprägt von den Ergebnissen des Denkens. Diese Synthese ist bei Schleiermacher das Ergebnis schwerer persönlicher Kämpfe. Was Schleiermacher als Erfahrung von Frömmigkeit bezeichnete, ist ihm nur durch das Fegefeuer der Loslösung von väterlicher und kirchlicher Autorität hindurch als Grundlage tragend geworden. Hier hatte der Widerspruch Platz gegriffen und Schleiermachers Leben jahrelang aufs Schwerste erschüttert. Ist es da verwunderlich, wenn die Identität von Sein und Denken – als Zeitproblem – in der Form der Frage nach dem Zusammenstimmen von Erfahrung der Frömmigkeit und Ertrag der Philosophie sein Lebensproblem wurde, dessen Lösung er in seiner Theologie angestrebt hat? Der starke Einfluß der Philosophie wird nicht zuletzt darauf zurückzuführen sein, daß sie Schleiermacher nie vor derartig umwälzende Probleme stellte wie die Lösung von der ganzen christlichen Tradition und die Neugewinnung dieser tragenden Erfahrung. Zu dieser selbständigen Bewältigung half ihm die Philosophie, ausgetragen mußte der Widerspruch aber auf dem Boden der Glaubenslehre werden. Diese biographische Konstellation hilft u. E. wesentlich zum Verständnis der beiden Tendenzen und Interpretationsmöglichkeiten der Theologie Schleiermachers, der Tendenz zum transzendental-philosophischen Umschreiben der Einheit Gottes und der Tendenz zum eschatologischen Beschreiben der Einheit Gottes in der Glaubenslehre, wobei beides im Dienste der Einheit des denkenden christlichen Bewußtseins steht.

Der Begriff, welcher beides verbindet, ist der der «Anschauung Gottes». Er ist der zentrale Begriff des ersten großen Werks Schleiermachers, der 1799 erschienenen «Reden über die Religion». Wir zitieren daraus die in unserm Zusammenhang wichtigsten Ausführungen, die unsere Gesamtsicht Schleiermachers ergänzen sollen.

In der u. E. Schleiermachers ursprünglichstes Anliegen aussprechenden zweiten Rede (130) wird die Selbständigkeit der Religion als Anschauung

130) Selbstverständlich ist es im Rahmen dieser Arbeit unmöglich, alle Probleme der Interpretation der Reden Schleiermachers im Blick auf die zeitgeschichtliche geistige Situation und im Zusammenhang mit seinem Gesamtwerk anzugreifen. Wir beschränken uns hier auf den Hinweis, daß die von uns als philosophisch-eschatologisch bezeichnete Bestimmtheit des Schleiermacherschen Denkens schon in den Reden zentral vorhanden ist. Zur Interpretation der «Reden» vgl. Hertel, bes. 29–35 zur Abfassung mit Literaturübersicht, und 59–86 zur 2. Rede.

Wichtig zu unserm Problem der Rolle der biographischen Kämpfe und insbes. Loslösungsproblematik Schleiermachers die Angaben Hertels über Schleiermachers Angst bei der Vollendung und Publikation der Reden (44).

des Universums begründet. Das «Anschauen des Universums ist die Quelle der Religion», denn Schleiermacher sagt: «Das Universum ist in einer ununterbrochenen Tätigkeit und offenbart sich uns jeden Augenblick» (131). Die Einheit des Menschen in Gefühl und Anschauung ist die Geburtsstunde der Religion. Schon hier ergänzen sich nun philosophische Bestimmung und eschatologische Aussage: «Mitten in der Endlichkeit eins werden mit dem Unendlichen und ewig sein in einem Augenblick, das ist die Unsterblichkeit der Religion» (132). Für dieses Geschehen – das Anschauen des Universums – kann nun auch «Gott» eintreten. Dabei ist nicht nur an ein erfassendes Handeln des Menschen gedacht, sondern ebensosehr an ein erfahrenes Wirken Gottes. Im Grunde geht beides in einer höhern Einheit auf. «Nach Subjekt und Objekt wird nicht mehr gefragt ... In dem Offenbarungsgeschehen der Religion wird der Mensch identisch mit sich selbst» urteilt Hertel (133). Dies geschieht nicht ohne Mittler resp. gegenseitiges Mitteilen. Das hält Schleiermacher ebenfalls schon in den Reden fest (134). Der Mensch bleibt nicht ewig ein Angewiesener, sondern wird zum Wirkenden:

«Bei wem sich die Religion so wiederum nach innen zurückgearbeitet (sc. von der Beobachtung des Einzelnen weg) und auch dort das Unendliche gefunden hat, in dem ist sie von dieser Seite vollendet, er bedarf keines Mittlers mehr für irgend eine Anschauung der Menschheit und er kann es selbst sein für viele» (135).

Auch hier wieder zeigen sich bereits die späteren Bestimmungen über Christus und Kirche und deren Ziel in dem vollendeten Heilswerk des Stehens im Geiste Gottes. Schleiermachers theologische Aussagen erfassen also von Anfang an den Menschen als in Gottes Geist stehend und der Vollendung teilhaftig. Eine Lehre von Gottes Vorsehung kann unter diesen Umständen keinen Platz finden. Sie kann keine Aussage des christlichen Selbstbewußtseins über eine noch offenstehende Geschichte in der Welt sein. Sie tritt aber auch nicht, was an sich möglich wäre, als Aussage über das Verhältnis zur Welt in deren Gegensätzlichkeit auf. Was noch an Elementen des Gott Widerstrebenden oder Zukunftsweisenden übrigbleibt, wird an

131) R 32,2–10 (Hertel 98). Vgl. zum Begriff des Universums: Hertel 98–105, Seifert aaO 77–80. Die Zitate aus den Reden nach Hertel (R) beziehen sich auf: F. Schleiermacher, über die Religion. Reden an die Gebildeten unter ihren Verächtern, ed. Hans-Joachim Rothert, Philosophische Bibliothek 255, Hamburg 1968.

132) R 73,39–74,8 (Hertel 86).

133) Hertel 101 u. 104 mit Belegen.

134) Zum Begriff des Mittlers in Rede 1 u. 2 und dem entsprechenden des Mitteilens v. a. in Rede 4 vgl. Hertel 130–134 und Seifert 137–151.

135) R 55,27–31 (Hertel 74).

die Ränder der Glaubenslehre oder extra muros verwiesen. Wir haben diese Restbestände kirchlicher und biblischer Tradition schon erwähnt. Es handelt sich um die Aussagen über Engel und Teufel einerseits und um die prophetisch-eschatologischen Aussagen anderseits. Die historisch-kritischen Argumente verbinden sich hier bei Schleiermacher mit den philosophischen. Die Engel tragen das Gepräge der Sage (136), der Teufel dasjenige des sprichwörtlich-volkstümlichen Redegebrauchs (137), die eschatologischen Lehren dasjenige des Mythischen oder Visionären (138). Ihnen allen ist eigen, daß sie nicht dazu bestimmt und nicht imstande sind, «eine Erkenntnis im eigentlichen Sinne hervorzubringen, sondern nur schon erkannte Prinzipien anregend zu gestalten» (139). Alle diese Aussagen fallen nicht unter die begriffliche Erfassung des christlichen Selbstbewußtseins in der Glaubenslehre, sondern unter die bildhafte Redeweise, wie sie der Bibel eigen war (140). Sie könnten das Widerstrebende und Zukunftsträchtige der Welt als Geheimnis und Verheißung Gottes darstellen. Aber sie können sich nicht für eine Glaubenslehre eignen, in der im Grunde bereits Gott alles in allem (1. Kor. 15,28) ist (141).

Die Frage muß aber hier allen Ernstes gestellt werden, ob dieser Standort des christlichen Selbstbewußtseins – als Stand im Geist – auch dem Standort des Christen in der Welt und damit der Welterfahrung im Ganzen entspricht. Kann er sich mit der Antwort Schleiermachers zufriedengeben, der die Erfahrung der Zerrissenheit, des Leidens und des Widerspruchs in die

136) § 42,1/I,205.

137) § 45,1/I,215–217.

138) § 163 Zusatz/II,440.

139) § 163 Schluß/II,440.

140) § 163 Anhang/II,437 und § 45 Zusatz/I,223. Auch die Vorsehung wird als Auffassung jüdischer Schriften unter philosophischem Einfluß dargestellt (§ 164,3/II,444). Zu Schleiermachers eigener Unterscheidung von Begriff und Bild s. Dial. Od. 172–174.

141) Vgl. Seifert 122. C. G. Jung fragt zum Bild des Bösen: «Wieviele Menschen gibt es überhaupt, die mit einiger Aufrichtigkeit behaupten können, daß sie mit dem Teufel fertig geworden seien, und die darum das christliche Symbol über Bord werfen könnten?» Die Auseinandersetzung mit dem Teufel entsteht nach Jung in der Auseinandersetzung mit Gott-Vater, bei der die lichte und dunkle Seite des Selbst sich zu unterscheiden beginnen.

Dadurch entsteht nach Jung im göttlich-seelischen Drama der schärfste Gegensatz, «wie er sich im Symbol Christus versus Satan darstellt.» Und darauf folgt dann: «Der Status des Heiligen Geistes bedeutet eine Wiederherstellung der ursprünglichen Einheit des Unbewußten, aber nun auf der Stufe der Bewußtheit.»

Neben dieser Ähnlichkeit zu Schleiermachers Darstellung der Glaubenslehre steht aber die völlig entgegengesetzte Beurteilung der Weltsituation. Dem Erfüllungsbewußtsein Schleiermachers entgegen sagt Jung:

Einheit des göttlichen Erlösungsratschlusses und damit in die eschatologisch-philosophisch beschriebene und gedachte Harmonie des Universums aufgehoben hat? Wenn diese Erfahrungen als dauernder Widerspruch bleiben und nicht aufhebbar sind, dann kann der Glaube nicht ohne Verheißung für das Leben und Leiden in, mit und an der Welt sein. Dann kann es keinen direkten Weg vom Bestehenden zum Vollendeten geben, wie ihn Schleiermachers Werk nahelegt. D.h. auch die Schöpfung bedarf dann der Heilszusage und -verheißung als selbständigem Wort Gottes, genau so wie das Wort in Christus als Wort der Erlösung und im Geist als Wort der Vollendung in Zusage und Verheißung gegeben wird. Für Schleiermacher wird alles von der Zusage der Vollendung dominiert. Er ist in diesem Sinne wahrlich ein «Theologe des III. Artikels». So ist Schleiermachers trinitarisches Denken mit Recht von ihm selber in gewisser Nähe zum Sabellianismus gesehen worden. Es drängt zu einer Einheit und Offenbarung Gottes im Geist, die Elemente des Vaters – als Allverursacher und ewiger Ratschluß – und des Sohnes – als Mittler und Stifter der frommen Gemeinschaft – hinter sich lassend oder in sich vereinnahmend. Ja, man kann sich fragen, ob Vater und Sohn nicht letztlich ihrer Stellung in der Offenbarung als Offenbarer und Offenbarung entfremdet werden. Der Vater wird zum unerreichbaren Naturzusammenhang und sein Platz von der Philosophie streitig gemacht, der Sohn zum Stifter des christlichen Selbstbewußtseins und sein Platz von der Erfahrung streitig gemacht. Wiederum wagen wir nicht endgültig zu sagen «usurpiert» oder «eingenommen» statt «streitig gemacht». Wir würden sogar gerne gerade darin die Größe der Thematik von Schleiermachers Denken sehen, daß in der christlichen Theologie Denken, Erfahrung und Glaube mit

«Wir leben in einer Zeit der Weltspaltung und der Entwertung Christi. Aber die Antizipation einer fernen Zukunft ist noch kein Ausweg aus der gegenwärtigen Situation. Sie ist ein bloßes ‹consolamentum› für diejenigen, die über den grauenhaften Möglichkeiten der Gegenwart verzweifeln. Noch ist Christus das gültige Symbol. Gott allein kann ihn entwerten durch den Parakleten».

Man beachte:
Entwertung Christi ist Schuld und Schicksal der Welt und als solche zerstörerisch,
Entwertung durch den Parakleten vollendet das Werk Gottes.
So sehr man die letzten Sätze Jungs als Kritik an Schleiermacher auch im theologischen Sinne aufnehmen kann, so klar muß man umgekehrt Jungs «archetypisches Drama» als nicht dem biblischen Begriff von Gottes Heilszusage und -verheißung entsprechend unter Kritik stellen. Weder Schleiermachers Vorgriff auf die Vollendung noch Jungs Ausweglosigkeit der Gegenwart sind die ganze Wahrheit christlicher Botschaft.

(Alle Zitate von C.G. Jung in: Zur Psychologie westlicher und östlicher Religion, Ges. Werke Elfter Band, Zürich und Stuttgart 1963, im Anhang: Zum Problem des Christussymbols. Aus einem Brief an einen katholischen Geistlichen [1953], 681–685.)

der Offenbarung in Vater, Sohn und Geist nicht in Analogie, sondern im Widerspruch und Gespräch stehen sollen, und in diesem Widerspruch die Transzendenz Gottes als Gott gewahrt wird und als Offenbarung aufscheint. Die Vorsehungslehre müßte dann der Ort des Widerspruchs und der Verheißung im Gegenüber von Denken der Welt und Glauben an Gott als den Vater sein. Daß sie fehlt, zeigt Schleiermachers starke Neigung zur Analogie, wenn nicht Identität von Denken, Erfahren und Glauben (142).

142) O. Weber, Grundriß der Dogmatik, I, 571, kommt ohne explizite Erwähnung Schleiermachers bei seiner Behandlung der concursus-Lehre zu einem ähnlichen Urteil wie wir:

«Wir müßten in strenger Konsequenz – alles unter der Voraussetzung solcher gemeinsamer Ebene zwischen Schöpfer und Geschöpf – schließlich auf jede Lehre vom concursus verzichten. Wir müßten beim Theomonismus auskommen (sic! gemeint wohl: herauskommen oder ankommen, Anm. d. A.), der sich dann freilich in seinen Auswirkungen nicht von einem atheistischen Monismus unterschiede – ob göttliche Allkausalität oder Allkausalität ohne Gott, das macht praktisch nicht viel aus.»

Teil III

GOTTES VORSEHUNG NACH K. BARTH

1. Zur Interpretation von K. Barths Theologie

a) Einleitende Übersicht

Karl Barths Aussagen über Gottes Vorsehung ändern sich entsprechend der Entfaltung seines theologischen Denkens. Wir unterscheiden hier vier Phasen, die sich anhand unseres Themas deutlich voneinander abheben lassen. Im Zentrum steht dabei die ausführliche Darstellung der Vorsehung Gottes in Bd. III, 3 der Kirchlichen Dogmatik (1).

In der ersten Phase vor 1930 liegt schon verschiedenes Material vor, mit dem Barth später in der Darstellung von Gottes Vorsehung arbeitet. Er kommt aber aufgrund der *dialektisch-eschatologischen* Struktur seines Denkens (2) in dieser ersten Phase zu keinen ausgeführten positiven Aussagen über Gottes Vorsehung. Sie hätten im Rahmen dieses Denkens keinen Platz. Eine Begegnung mit Gott im Raum der Geschichte und des geschichtlichen Waltens ist bei einer Theologie, die den Menschen in einem «ewigen Augenblick» (3) vor Gott stellt, nicht möglich. Anders steht es mit der Lehre von der göttlichen Erwählung. Sie erscheint bereits im Kommentar zum Römerbrief in der 2. Auflage von 1922 und in verschiedenen Aufsätzen (4) als Grundaussage der Souveränität von Gottes Handeln am Menschen in Gericht und Gnade, und zwar in der spezifisch Barthschen Gestalt der Erwählung aller in der Verwerfung aller, wie es später in christologischer Begründung ausführlich in Bd. II, 2 der Kirchlichen Dogmatik ausgeführt wird.

In einer zweiten Phase erscheinen nun in dogmatischen Abhandlungen und Äußerungen zur Zeit wesentliche inhaltliche Aussagen über Gottes Vor-

1) Zu den Abkürzungen bei der Zitierung der Werke Barths s. das Lit.-Verz.

2) Kupisch spricht von dynamischer Eschatologie, Berkouwer von Theologie der Krisis, die gängige Bezeichnung ist «Dialektische Theologie». Mit unserer Begriffswahl versuchen wir das Entscheidende, das u. E. vor allem die Theologie von Röm II charakterisiert, den «ewigen Augenblick», hervorzuheben. Vgl. dazu Stadtland 58–68, 101 und 111–113 sowie D. Braun in Ethik I, VIII.

3) Vgl. Stadtland 75, 102 und 148–155 mit den dortigen Belegen aus Röm II, v. a. Röm II 482ff.; sowie Schmid 28 zu Röm II, 85.

4) Röm II, 308f. zu Röm 8,29; Röm II, 330–332 zu Röm 9, 10ff. und Röm II, 405 zu Röm 11, 31–32. Vgl. dazu Vortr I, 74–75. 153. 200–201 und Balthasar 186ff.

sehung. Wir erwähnen hier als u. E. wichtigste Beispiele «Credo» (1935), einige Aufsätze in «Eine Schweizer Stimme» (1938–1945), «Die christliche Lehre nach dem Heidelberger Katechismus» (1947) und den Vortrag «Die Unordnung der Welt und Gottes Heilsplan» an der Weltkirchenkonferenz von 1948 in Amsterdam. In ihnen spiegelt sich das inzwischen in der Kirchlichen Dogmatik entfaltete *trinitarisch-analogische* Denken Barths. «Vorsehung» wird Ausdruck des sich in souveräner Freiheit in Jesus Christus der Welt annehmenden Gottes. Diese Aussagen stehen aber noch nicht im systematischen Gesamtzusammenhang der Kirchlichen Dogmatik. Sie enthalten darum die Vorsehungslehre unter den beiden traditionellen Aspekten der christlichen Lehre: Erhaltung der Welt im Widerstand gegen das Böse und Umfassung auch des Bösen durch Gottes versöhnendes und zielgerichtetes Handeln.

Die dritte Phase der Entwicklung der Vorsehungslehre stellt der ihr gewidmete Band III, 3 der Kirchlichen Dogmatik dar. Er schließt sich sowohl in der Stellung im Gesamten der Dogmatik wie auch im inhaltlichen Aufbau eng an die orthodoxe evangelische Theologie an. Sein Thema ist jedoch nicht in erster Linie die materiale Entfaltung der Vorsehungslehre, sondern ihre Zuspitzung als Ausdruck des Widerspruchs Gottes gegen das Böse als das Nichtige und Dämonische und so als das von Gott nicht Gewollte. Die Vorsehungslehre erscheint hier unter der systematischen Klammer des Festhaltens an der guten Schöpfung Gottes und dessen gutem Wirken unter Verewigung des Widerspruchs zum Bösen und Ausscheidung seiner Wirklichkeit aus dem Bereich der Wirklichkeit Gottes. Nur von dieser von Barth selber «Vorurteil» und «Vorentscheidung» genannten Stellungnahme her meint Barth das Regieren Gottes als des Allmächtigen darstellen zu können (5). Man könnte hier geradezu von einem *heilsontologisch-abschirmenden* Denken sprechen.

Wir stehen dieser Phase in Barths Denken mit großem Vorbehalt gegenüber. Man hat die Wandlung Barths von den Anfängen seines Denkens bis hin zur Kirchlichen Dogmatik u. a. eine Wandlung von der Theologie der Krisis hin zur Theologie des «Triumphes der Gnade» (6) genannt. U. E. ist speziell die Vorsehungslehre dieser Phase kennzeichnend für die Opfer, auf deren Kosten dieser Triumph gefeiert wird. Der Triumph der Gnade stellt sich in der Erwählungslehre dar, wo Gott in Christus die Verwerfung und

5) KD III, 3, 179. Vgl. dazu Dantine 276–277, der aus ähnlichen Gründen wie wir in seinem Beitrag: Der Welt-Bezug des Glaubens, sehr kritisch zu Barths Vorsehungslehre in KD III, 3 Stellung nimmt. Der Begriff der «Heilsontologie» legt sich nach Barths Ausführungen in KD III, 2, 2–5 nahe. Vgl. dazu Schlichting 122 sowie jetzt auch Link 304 ff.

6) Vgl. den Aufbau der Darstellung bei Berkouwer. Anders Balthasar unter dem Problemaspekt der Analogie. Vgl. dazu K. Hammer, Analogia relationis gegen analogia entis, in: Parrhesia, 288–304.

dem Menschen damit das Heil zuteil wird. Unter den Menschen gibt es damit keine Trennung in nur Erwählte und nur Verworfene mehr. Diese «Todesspalte» (7) hat Barth aus der Erwählungslehre verbannt. Sie hat sich nun aber womöglich noch tödlicher in die Vorsehungslehre verlagert. Die Vorsehungslehre wäre eigentlich dazu bestimmt, Soteriologie für die Welt zu sein. Sie wird bei Barth zur Darstellung der Unversöhnbarkeit Gottes mit der Welt, zur Darstellung der verworfenen Welt. Denjenigen Widerspruch, den Calvin in der Erwählung verewigt hat, verewigt Barth in dieser Phase in der Vorsehungslehre. Schleiermacher hatte ihn mitsamt dem Begriff der Vorsehung aus der Theologie entfernt. Dagegen setzte sich Barth ab, indem er die radikale Widersprüchlichkeit von Gottes guter Schöpfung gegen die Sünde und das Böse zum Prinzip machte. In der Erwählungslehre konnte Barth dem verworfenen Menschen das Heil durch Christus zusagen. In der Vorsehungslehre war dies für die Welt nicht möglich. Hier konnte sie nur noch als das von Gott Übergangene, Nichtige, Böse entlarvt, aber nicht mehr geliebt werden.

U.E. muß nun noch von einer 4. Phase der Darstellung der Vorsehung in Barths Denken gesprochen werden. Wir möchten sie die *gleichnishaft-dynamische* nennen (8). Dieses Denken zieht sich durch alle Phasen der Barthschen Theologie (9), bestimmt aber vor allem grundlegend die Darstellung der Versöhnung und Heiligung in Bd. IV, 1–3 der Kirchlichen Dogmatik. Von der gesetzten Versöhnung her und sie gleichnishaft abschattend handelt der Christ in der Welt, die er aktiv, auf Gottes Berufung und Vorsehung vertrauend, zeichenhaft in Gottes Sinne neu gestaltet. V. a. Bd. IV, 3 enthält geradezu das ganze theologische Lebensthema Barths in einer neuen Dynamik, in einem eschatologischen Neuansatz. Allerdings ist es ein Neuansatz von der Gemeinde her, die von Christus berufen, gesammelt und gesendet wird (10). Aber Gottes Vorsehung wirkt nicht nur in ihr. Nun kann

7) Berkouwer aaO 78, zum Begriff Barths KD II, 2, 15.

8) Vgl. dazu etwa KD IV, 3, 2, 1034.

9) Vgl. aus der Phase I: Röm II, 23–26; Vortr I, 56. 115–116;
aus der Phase II: die schon im Titel sichtbare Konzeption der Abhandlungen: Rechtfertigung und Recht, 1938, und: Christengemeinde und Bürgergemeinde, 1946, jetzt in Th St 104, Zürich 1970;
aus der Phase III: den Abschnitt über die Gleichnishaftigkeit des Verhältnisses Himmel–Erde für das Verhältnis Gott–Mensch: KD III, 3, 493–497.

10) W. Dantine sieht und kritisiert nur diese eine Seite der Barthschen Darstellung (264–266) und interpretiert deshalb IV, 3 v. a. kritisch von der Lehre von der Berufung her, vgl. seine Schlußfolgerungen 300–301. Ähnlich Stadtland 186–189. Vgl. KD IV, 3, 2, 878 ff.

Barth von der Welt schreiben, es könne «keine ganz, keine schlechthin andere Geschichte sein, die da draußen geschieht» (11). «Die christliche Gemeinde wagt es, weil auf Christus, darum für die Welt zu hoffen» (12). Sie bezeugt nicht etwa bloß die ihr zuteil gewordene Gnade, sondern: «Die Wirklichkeit und Wahrheit der der Welt in Jesus Christus zugewendeten Gnade Gottes» (13). Die «Universalität der Befreiung der ganzen Geschöpfwelt» (14) wird zum erklärten Ziel der Wege Gottes. Aus der Grenze Gott–Mensch, die nur in Christus im ewigen Augenblick des vor Gott-Stehens heilbringend sichtbar wurde, entstand in einer 90-Grad-Wendung die Grenze zwischen Gott und dem Nichtigen, die die Grenze zwischen Heil und Unheil festmachte, und endlich in einer weiteren Wendung um 90 Grad die Grenze der Erwartung des «Herbei- und Herabkommens» der Erneuerung der ganzen Geschöpfwelt (15). U.E. ist erst in dieser vierten Phase Barths Vorsehungslehre zu einem seiner Versöhnungs- und Erwählungslehre adäquaten Ausdruck gekommen.

b) Der Begriff der «Grenze» als Charakteristikum des Denkens Karl Barths

Wir versuchen in einem zweiten einführenden Abschnitt nun den von uns eben verwendeten und u.W. für die Entwicklung von Barths Denken aufschlußreichen Begriff der «Grenze» in bezug auf die unter a) gegebene Periodisierung noch genauer zu fassen, um dann im nächsten Abschnitt uns direkt den in diesen Rahmen einzubeziehenden konkreten Aussagen über die Vorsehung Gottes zuwenden zu können. Wir beschränken uns auf die allerwichtigsten Aussagen, wobei hier Phase 2 keine selbständige Geltung hat, sondern in die dritte einbezogen ist.

Als Beispiel für die erste Phase betrachten wir kurz die Ausführungen Barths zu Kp. 1 des Römerbriefs in der 2. Auflage seines Kommentars. Barth spricht hier thematisch von einer Schnittlinie zwischen Gott und Mensch, Zeit und Ewigkeit (16). Sie ist nur in Christus durchbrochen, aber eben dar-

11) KD IV, 3, 787.

12) KD IV, 3, 824.

13) KD IV, 3, 808. Der Neueinsatz wird durch die Begründung der Versöhnungslehre als Liebe Gottes zum Kosmos und als «Versöhnung der Welt» markiert, so KD IV, 1, 75–83. Vgl. dazu die Aussagen Barths von 1968 in: Letzte Zeugnisse, 8: «Jesus Christus für die Welt und für die Kirche» und «ich ein Angehöriger der in ihm mit Gott versöhnten Welt und ein Glied der von ihm zusammengerufenen Kirche».

14) KD IV, 3, 1, 363.

15) KD IV, 3, 2, 774–775.

16) Röm II, 5.22.

in, daß er sie sichtbar macht. Er überbrückt die Distanz zwischen Gott und Mensch, indem er sie «aufreißt» (17). Er ist keine Verbindung beider Dimensionen, was sich noch bis in die spätere Inkarnationslehre der Kirchlichen Dogmatik auswirkt (18). In der Anerkennung dieser Distanzen allein hat der Mensch das Heil, wird der Gerechte leben (19). Das Unheil liegt in der Mißachtung dieses «göttliche(n) Nein, das uns in unsere Schranken und damit über unsere Schranken hinausweist» (20). «Die Schranke bleibt dann Schranke und wird nicht zum Ausgang» (21). Die Mißachtung dieser Grenze aber ist der eigentliche Verrat an Gott, der Ursprung des religiösen Nebels, der Welt und Geschichte zu Götzen macht (22).

In den Bänden I–III der Kirchlichen Dogmatik, die hier die Phasen 2 und 3 vertreten, finden wir eine Darstellung von Gottes Offenbarung, die zunächst immer weitere Kreise zieht. Das Geschehen der allmächtigen Gnade Gottes (23) überwindet eine Grenze um die andere und bringt immer neue Bereiche christlicher Lehre unter diesen Gesichtspunkt. Es sind dies vor allem:

die Erkenntnis Gottes, die dem Menschen unmöglich ist, als Gottes Offenbarung selbst (24),

die Erwählung durch Gott, die dem Menschen zuteil wird, als Begrenzung seiner Verwerfung als «verworfener Verworfener» (25)

und die Schöpfung als Sein-Dürfen des Geschöpfs in seiner Begrenztheit als gutes Geschöpf (26).

Bis dahin dominiert Gott «in der überströmenden Fülle seines Lebens» (27), für dessen Liebe es im Grund keine unüberwindbare Grenze gibt. In der Vorsehungslehre gibt es nun jedoch nicht mehr nur diese Grenze, es gibt dazu den «Bruch im Verhältnis von Schöpfer und Geschöpf» (28). Er wird nicht vom Geschöpf oder Schöpfer hergeleitet, sondern neu von dem Nichtigen. Das Geschöpf grenzt mit seiner Schattenseite an das Nichtige, das in

17) aaO 7.
18) KD I, 2, 203 ff., vgl. Stadtland 105.
19) Röm II, 17.
20) aaO 22.
21) aaO 18–19.
22) aaO 25–28.
23) KD I, 1, 431. Vgl. Balthasar 205.210ff. Schlichting, 101, nennt dies Barths «Weg des offenbarungsgemäßen Denkens vom Besonderen zum Allgemeinen».
24) KD II, 1, § 27, 200 ff.
25) KD II, 2, § 35, 499–502.
26) KD III, 1, § 42, 377.412, und KD III, 3, 70–72.
27) KD III, 1, 417.
28) KD III, 3, 332–333.

einem Einbruch über diese Grenze in der Geschöpfwelt wirklich wird (29). Es ist aber zunächst, obwohl es das Geschöpf betrifft, Gottes eigenstes Problem. Es hat – nur, aber eben gerade! – in der Kehrseite von Gottes Ja, in Gottes Nein, seine begrenzte Wirklichkeit, als opus alienum Gottes, und wird in Gottes opus proprium entmächtigt (30). Es war immer nur ein Schein-Reich und ist «in Jesus Christus auch als solches objektiv beseitigt» (31).

Karl Barths Anliegen scheint uns v.a. darin zu bestehen, hier um jeden Preis daran festzuhalten, daß die Schöpfung sowohl nach ihrer Licht- wie nach ihrer Schattenseite Gottes gute Schöpfung ist (32). Die grundsätzliche Frage scheint uns aber die, warum das Nichtige dann an der Schattenseite des Geschöpfes – und an ihr allein! – auftaucht und einbricht? Wenn die Feindschaft gegen Gott das Wesen des Nichtigen – oder besser gesagt sein Unwesen – ist, weshalb zeigt sie sich dann am negativen Aspekt der Schöpfung – freilich nicht im negativen Aspekt, aber trotz Barths gelegentlicher Versicherungen des Gegenteils (33) doch hinter dem sog. Negativen der Schöpfung? Ist das Nichtige nicht doch gerade die Mythologisierung des äußersten Gegenpols zu dem in sich selbst vollkommenen Gott? Ist damit nicht eine Konstruktion geschaffen, die zwar das Problem der Theodizee scheinbar aus der Welt schafft (man sehe aber darauf, wie Barths Ausführungen über das Nichtige mit dessen «Zulassung» durch Gott und der alten Weisheit schließen, daß ihm eben auch das Böse zu dienen habe) (34), dafür aber dem Menschen auch noch das letzte Recht seiner Menschlichkeit nimmt: Klage gegen Gott zu führen? Er wird zum Objekt der Feindschaft zwischen Gott und dem von ihm mitgesetzten Nichtigen und damit im Grunde genau so übergangen, wie er nach Barth das Nichtige im Glauben übergehen können sollte. Hier ist die überströmende Quelle von Gottes Gnade – um Begriffe aus dem Römerbriefkommentar aufzunehmen – zum Eismeer der

29) KD III, 3, 403.
30) KD III, 3, 407–410.
31) KD III, 3, 424.
32) KD III, 3, 335–337.
33) KD III, 3, 340–342.
34) KD III, 3, 425.
Eine ausführliche Darstellung der hier angegriffenen Gedankengänge Barths in positivem Sinn und in Auseinandersetzung mit der Kritik Berkouwers bei Schlichting 185–196. Schlichting wendet sich allerdings nur gegen die Front der Kritik der «Verharmlosung des Bösen» im Begriff des Nichtigen und nicht gegen die von uns kritisierte letztlich zu einer dualistischen Mythologie führende Verselbständigung des Nichtigen auf Kosten der konkreten Existenz des Menschen vor Gott.

Polarzone erstarrt, das die kühnen Seefahrer davor abhalten soll, zu ihrem Verderben an dem Magnetberg des Nichtigen in der Finsternis zu zerschellen. Man kann sich fragen, woran es liegt, daß diese Warnung so nötig ist – wegen der drohenden Gegenwart dieses Nichtigen oder wegen der Unwirtlichkeit der theologischen Küste, die der Seefahrer gerne verlassen möchte. Noch einmal ohne Bild gesprochen: Wird die Providenzlehre in solcher Ausgrenzung des guten Gottes und seines guten Geschöpfs gegenüber dem Nichtigen nicht eben zu einer Lehre von der «Grenzwacht» (35) an der Grenze, an welcher Gottes Gnade Halt macht, statt sie auch noch zu überwinden und damit erst den Menschen wirklich umfassend anzunehmen?

In der vierten Phase beginnt dann die theologische Bewegung noch einmal neu. In dem der Versöhnungslehre gewidmeten Band IV, besonders in IV, 3, wird das Werk «Gottes des Versöhners» (§ 57) in Jesus Christus die Gewinnung der Welt insgesamt. Nun ist sie nicht mehr in von Gott Regiertes und Nichtiges geschieden. Nun steht sie wieder als Ganzes vor Gott (wie im Römerbriefkommentar) und vor dem Ziel der Vollendung der Offenbarung der in Christus im Ganzen gerechtfertigten (§ 62), geheiligten (§ 67) und berufenen Menschenwelt, ja der gesamten Schöpfung (§ 72). Das Versöhnungswerk gibt Mensch und Welt eine umfassende Bestimmung im «Universalismus der Osteroffenbarung» (36). Entsprechend wird denn hier auch von den «Grenzen» noch einmal in einer neuen Weise gesprochen. Sie liegen im Wesentlichen in der Erkenntnis der Vorläufigkeit der christlichen Existenz, des Noch-Nicht-Vollendeten des Heils. Darin findet der Dienst der Gemeinde seine Begrenzung (37) – aber er ist ein Dienst an der ganzen Welt. Ebenso zeigt sich die Vorläufigkeit der jetzigen Gestalt des Kosmos.

35) In Anlehnung an die Formulierung des Leitsatzes zu § 51, KD III, 3, 426, über die Engel, die den Gott «widerstehenden Gestalten und Mächten des Chaos gegenüber überlegene Wache halten». Auch hier ist wieder die statisch-abschirmende Art der Formulierung typisch.

36) KD IV, 3, 3, 350. H. Ott deutet in: Wirklichkeit und Glaube I. Zum theologischen Erbe Dietrich Bonhoeffers, Zürich, 1966, eine Wandlung Barths in KD IV an. Ott zitiert aus KD IV, 3, 1, 107–188 eine Aussagenreihe Barths, die «betont in die Richtung eines wirklichen christlichen Ernstnehmens der Weltwirklichkeit weist» (114) und urteilt: «Es wäre gewiß falsch zu sagen, hier habe sich eine grundlegende Wandlung in der Theologie Karl Barths vollzogen – als ob diese Akzente in seinem theologischen Denken nicht immer schon virtuell enthalten gewesen wären. Indessen erfolgte das Explizitmachen dessen, das betonte Ernstnehmen der kreatürlichen Wirklichkeit, in der wir leben, doch wohl nicht ohne den Einfluß der theologischen Entwicklungen, wie sie sich seit den ersten Bänden der ‹Kirchlichen Dogmatik› um Karl Barth herum vollzogen haben» (117–118).

37) KD IV, 3, 2, 954.

Seine Wahrheit als sein Geheimnis liegt in seiner Begrenztheit, in seinem Dasein als Kreatur, die ihren letzten Grund nicht in sich selbst, sondern in Gott hat (38). Und schließlich steht der Christ noch diesseits der Grenze der Endoffenbarung Jesu, der Parousie, in welcher Christus erst universal, unmittelbar und abschließend gegenwärtig sein wird (39). Sie ist aber jetzt schon – nicht mehr als nicht-eintretender Augenblick (40) wie im Römerbriefkommentar, sondern als noch ausstehende Vollendung – dasjenige, was den jetzigen Augenblick als «Erwartung» qualifiziert und zum Handeln bestimmt, «als ob es schon Tag wäre» (41), in Glauben, Liebe und Hoffnung (42). Summa: Jetzt stehen wir in den der christlichen Existenz – von der Barth nun ausführlich und thematisch reden kann! – gesetzten Grenzen, aber dann «schaut mein Geist mit Lob und Dank die Schickung im Zusammenhang» (43).

2. «Vorsehung» in Barths Theologie der frühen 20er Jahre

a) Vorsehung und biblische Botschaft

Im Vortrag «Not und Verheißung der christlichen Verkündigung» von 1922 geht Barth davon aus, daß die Situation der Gemeinde so aussehe:

«... die großen Rätsel des Daseins: die unergründliche Stummheit der uns umgebenden sog. Natur, die Zufälligkeit und Dunkelheit alles dessen, was einzeln und in der Zeit ist, das Leid, das Schicksal der Völker und Individuen, das radikale Böse, der Tod, sie sind wieder da und reden, reden lauter als alles das, was uns versichern möchte, Gott sei gegenwärtig. Nein, die Frage läßt sich nicht mehr unterdrücken, sie wird brennend heiss: *Obs denn auch wahr ist?* ... Wahr die Rede von der Liebe und Güte eines Gottes, der mehr ist als eines jener freundlichen Götzlein, deren Herkunft so leicht zu durchschauen ist, deren Herrschaft so wenig lang währt?» (44).

Damit ist das Thema der Vorsehung in Form der Frage nach Gott und seinem Wesen und Wirken im menschlichen Leben gestellt, ausgesprochen

38) KD IV, 3, 1, 170.

39) KD IV, 3, 2, 1036ff. 1060.

40) Röm II, 482.

41) aaO 485.

42) KD IV, 3, § 58 und im einzelnen je §§ 63.68.73.

43) Busch aaO 506 nach einem Brief von 1961, aber schon in «Die christliche Lehre nach dem Heidelberger Katechismus» 57 als Abschluß der Auslegung der Fragen 26–28 über Schöpfung und Vorsehung von Barth zitiert.

44) Vortr I, 106.

oder auch unausgesprochen in der Existenz der nach Antwort fragenden Gemeinden. Die Antwort aber, die die Kirche zu geben hat, ist die Verschärfung der Fragen zur wahrhaften Frage aus der Finsternis eines Hiob und Paulus «angesichts derer die Frage, ob einer mehr Optimist oder mehr Pessimist sein will, ganz gegenstandslos wird», und die ihren Höhepunkt in dem Schrei Jesu vor seinem Tode: «Mein Gott, mein Gott, warum hast du mich verlassen» (Mk. 15,34) findet (45). Aber:

«Diese Hölle ist Himmel. Dieser furchtbare Gott ist der liebende Vater, der den verlorenen Sohn in seine Arme zieht. Der Gekreuzigte ist der Auferstandene. Und das Wort vom Kreuz als solches ist das Wort vom ewigen Leben. Kein Zweites, Anderes braucht zur Frage hinzuzutreten. Die Frage ist die Antwort. Die Wahrheit und Wirklichkeit, die Begründetheit dieser Umkehrung, die der Sinn der ganzen Bibel ist? Ich weiß keine andere als die Realität des lebendigen Gottes, dessen, der *ist,* der er ist, des sich selbst Begründenden» (46).

In diesen Sätzen haben wir die ganze Stärke und Problematik der Stellung Barths zur Vorsehung (wobei der Begriff in dieser Zeit kaum je verwendet wird). Barth reißt ebenso souverän alle Fragen des Menschseins auf, wie er sie nachher übergeht und zur «eigentlichen Frage» nach Gott erhebt. Diese kann aber ein Mensch nicht von sich aus stellen, seine Frage ist noch nicht die wirkliche Frage. Die wirkliche, eigentliche Frage wäre zugleich die Antwort. Die eigentliche Frage kann der Mensch erst aufgrund der Offenbarung Gottes als des sich selbst Begründenden überhaupt stellen und steht dann damit auch schon in Gericht und Heil vor Gott, wo das Fragen nach ihm alle andern Fragen in sich verschlingt.

Ein entsprechendes Bild ergibt sich nun aus den wichtigsten Äußerungen im 2. Römerbriefkommentar zu unserm Problem. Inhaltlich dem zitierten Vortrag entsprechend lesen wir zu Röm. 5,3:

«Es kann sich also nicht etwa darum handeln, daß der Friede des Menschen mit Gott, die Gnade, in der der Apostel steht, im Spiegel seiner äußern und innern Verfassung als ‹Glück›, als Zufriedenheit, als stoische Ataraxie, als Optimismus zur Erscheinung kommen müsse, so wenig die Erkenntnis des göttlichen Zornes und Gerichtes mit Pessimismus, Weltverneinung und Weltflucht an sich etwas zu schaffen hat ... das tatsächliche Bedrängt- und Erschüttertsein ... ist kein pudendum des Glaubens, das etwa einer Theodicee oder gar einer direkten Beseitigung bedürfte, um dem Glauben wieder Luft zu verschaffen. Die Theodicee in Betreff des Übels *und* seine

45) Vortr I, 113.
46) Vortr I, 114.

Beseitigung ist schon gegeben durch das Wort, durch das Gott sich selbst rechtfertigt, den Glaubenden als gerecht erklärt und zum Erben seines Reiches einsetzt ... also Glaube in den Bedrängnissen und im Bedrängtsein, nicht daneben, nicht erst nach äußerlich oder innerlich glücklich überwundenen, gedämpften oder doch ertragenen Bedrängnissen» (47).

Die Möglichkeit einer direkten Erfahrung mit Gott in den negativen oder positiven Lebenserfahrungen wird hier restlos abgewiesen. Offen bleibt die Frage, wie Gott, der an sich mit diesen Erfahrungen nichts zu schaffen hat, dann dennoch zu ihnen in Beziehung gesetzt werden könnte. Zwischen unserer Erfahrung und der Beziehung auf den wahren Gott muß eine Gebrochenheit «durch die Erinnerung der Ewigkeit» stehen. Ohne diese Gebrochenheit

«entsteht in der Mitte zwischen hier und dort, zwischen uns und dem ganz anderen, der religiöse Nebel oder Brei, wo ... das Sein und Tun Gottes als humanes oder animales Erlebnis ‹erfahren› wird» (48).

Das Irdische ist allein zum Gleichnis des Ewigen bestimmt. Anders wird es zu fälschlich «auf den Thron gehobenen Mächte(n) und Gewalten» (49). In welcher Form dann dieser usurpierte Gott den Menschen erscheint und seine reale, aber vom Menschen verschuldete Macht ausübt, ist im Grunde dann gleichgültig:

«An die Stelle des heiligen Gottes tritt dann das Schicksal, die Materie, das All, der Zufall, Ananke. Es verrät Einsicht, wenn wir anfangen, es zu vermeiden, dem Nicht-Gott des Unglaubens den Namen ‹Gott› zu geben. Aber eine letzte Konsequenz des göttlichen Zornes ist auch das, was wir ohne den Glauben an die Auferstehung ‹Gott› nennen ... Die ganze Welt ist Gottes Spur, nur freilich daß sie, sofern wir statt des Glaubens das Ärgernis wählen, in ihrer absoluten Rätselhaftigkeit eine einzige Spur von Gottes Zorn ist» (50).

Das muß sie offenbar sein, denn es kann nach dieser Theologie keine positive Erfahrung geben, die als selbständige neben dem, was hier unter Christus verstanden wird, nicht auch unter Gottes Zorn stünde:

«Es ist nicht Gnade, sondern Gericht und Verderben. Es ist nicht göttliche Führung, sondern Schicksal. Es ist nicht Gott, sondern ein Spiegelbild des unerlösten Menschen. Und wenn es ein noch so stattlicher Aufbau sozialen Fortschritts, und wenn es eine noch so ansehnliche Blase christlicher Erlöstheit wäre» und zu Röm. 8, 18:

47) Röm II, 131.
48) Röm II, 23.25.
49) Röm II, 27.
50) Röm II, 19.

«Um irgend eine ... immanente Ignorierung, Abschwächung oder tröstliche Deutung des Leidens (etwa durch den Hinweis auf eine das ‹diesseitige› Leiden ausgleichende bzw. aufwiegende ‹jenseitige› Harmonie) kann es sich hier jedenfalls nicht handeln. ... Die Harmonie, die wir postulieren, ist relativ zu unserer Disharmonie, ist die Fata Morgana unserer Wüstenwanderung. Und der Gott, den wir Vergeltung und Ausgleich üben lassen in einem ‹bessern› Jenseits, ist Nicht-Gott ...» (51).

Und wenn schließlich einmal das Wort Vorsehung fällt, dann in jener Passage, in der Barth am schärfsten und richtigsten gegen einen falschen metaphysisch-krönenden Gottesbegriff Sturm läuft:

«Menschenleid, Menschenschuld, Menschenschicksal, wie sie sich unaufhörlich finster offenbaren in dem höchst fragwürdigen Gesicht, in der höchst fragwürdigen Lebensgeschichte *jedes* Einzelnen, im Wahnsinn unsrer Städte und im Stumpfsinn unsrer Dörfer, in der banalen Gewalt unsrer primitivsten Lebensbedürfnisse und in der ideologischen Weltfremdheit unseres Wissens und Gewissens, in den Schrecken der Geburt und des Todes, in dem aus jedem Stein und aus jeder Baumrinde schreienden Rätsel der Natur und in der Ergebnislosigkeit der Kreisläufe der Weltgeschichte, ... sie haben eine *Stimme*, sie haben ein *Licht*, wer das *einmal* gehört, *einmal* gesehen, und zwar existenziell, also *nicht* psychologisch, soziologisch, historisch, naturwissenschaftlich, in keinem Sinne vornehm, akademisch überlegen, unbeteiligt, aber auch in keinen Sinne ‹fromm›, ‹religiös abgeklärt›, ganz und gar ohne die erschlichene Voraussetzung einer Vorsehung und Harmonie über diesem Ganzen ... der fragt nicht mehr, sondern hört und sieht – was? Sich selber! Als ‹Glaubenden›, ‹Liebenden›, ‹Hoffenden›? Nein und tausendmal nein, sondern sich selber gegenüber dem *ganz* Unmöglichen, *absolut* Widersprechenden, *endgültig* nicht zu Rechtfertigenden, *nie und nimmer* mit einem Gottesbegriff zu Krönenden. ... Aber eben: ... Sich selber als Gottes Kind! Denn was ist geschehen? In, mit und unter *diesem* Hören und Sehen ist offenbar das Schreien: Abba! Vater!, und wenn der Mensch den Namen Gottes noch nie gehört hätte und wenn er ihn gleichzeitig lästern würde. In, mit und unter diesem Entsetzen des Menschen vor sich selbst ist offenbar der neue Mensch, der Mensch einer neuen Welt geboren, die Theodizee vollzogen, neben der jede andre nur Spott und Hohn ist ... hat Gott das Einmalige, Existenzielle getan, hat den Menschen angenommen als sein Kind» (52).

Der Gott, der ein Gott der Vorsehung, der dieser Welt zugewandten Gnade sein könnte, muß in dieser Sicht ein Götze, ein Nicht-Gott, ein unter

51) Röm II, 298. 286.
52) Röm II, 283–284.

dem Zorn des wahren Gottes stehendes Produkt der Religion sein. Barth sagt: Wer Gott vertraue, erkenne die Treue Gottes darin,

«daß wir in den Widerspruch zum Da-Sein und So-Sein dieser Welt versetzt sind» (53).

Dies ist die schärfstmöglichste Ablehnung der Welt, in der der Christ lebt, als einer rein eschatologisch bestimmten «vergehenden Weltzeit» (54). Vorher, etwa im Tambacher Vortrag von 1919, und nachher, bis mindestens zur Ethikvorlesung von 1930, und später erst recht in der Kirchlichen Dogmatik, hat Barth in verschiedenen Formen positiv von der Schöpfung und vom Stehen des Christen in der Schöpfung sprechen können. Noch im erwähnten Vortrag von 1919 hieß es: «Reich Gottes ist auch das regnum naturae mit dem ganzen Schleier, der über dieser Herrlichkeit Gottes jetzt liegt. In diesem Sinn kommen wir um den bekannten und oft verurteilten Hegelschen Satz von der Vernünftigkeit alles Seienden nicht herum. Es ist in allen gesellschaftlichen Verhältnissen, in denen wir uns vorfinden mögen, auch in ihrem schlechthinnigen Sosein und Gewordensein, ein Letztes, das wir erkennen, eine ursprüngliche Gnade, die wir als solche bejahen, eine Schöpfungsordnung, in die wir uns finden müssen, so gut wie wir uns in die Schöpfungsordnungen der uns umgebenden Natur zu finden haben. Nicht in das Tödliche und Gottlose des Weltlaufs schicken wir uns damit, sondern in das Lebendige und Göttliche, das im Weltlauf immer noch mitläuft, und gerade dieses uns Schicken in Gott in der Welt ist zugleich unsere Kraft, uns in die Welt ohne Gott nicht zu schicken. «Durch ihn und zu ihm geschaffen». In diesem «Durch ihn» und «Zu ihm»: durch Christus und zu Christus hin, liegt die Überwindung der falschen *Weltverneinung,* aber auch die unbedingte Sicherung gegen alle *falsche* Weltbejahung» (55).

Im Römerbriefkommentar ist dies alles durchkreuzt von dem einen beherrschenden Gegensatz von Gott und Mensch, Zeit und Ewigkeit. Diese Dialektik hat die Dialektik des christlichen In-der-Welt-Stehens als zweitrangig erklärt. Die Zusammenarbeitung beider wird, nachdem das Thema

53) Röm II, 18.

54) Stadtland 82ff.

55) Vortr I, 51–52.

56) K. Barth, Fides quaerens intellectum, 1. A. 1931, 2. A. 1958. Vgl. dazu Barths Selbsteinschätzung der Schlüsselstellung dieser Arbeit im Vorwort zur 2. A. Die wichtigsten auch für die KD geltenden Ergebnisse dieses Werkes sind:

«Nach-Denken» des vorgegebenen Credo (Schrift und kirchl. Tradition) durch das credo im Sinne der ihm innewohnenden Tendenz zur Selbstklärung und in der Erkenntnis der aus keiner äußeren Notwendigkeit ableitbaren Faktizität seiner Sätze (21–30); Theologie als Gebetshaltung, auf positivem Gehorsamsglauben gründend (33–35);

des sich selbst begründenden Gottes 1931, anhand der Arbeit Barths über den Gottesbeweis Anselm von Canterburys (56) im Sinne eines «Offenbarungsdenkens» abgeklärt war, das beherrschende Motiv der Kirchlichen Dogmatik insbesondere von Bd. III, 1 (Schöpfung) und III, 3 (Vorsehung). Dazu wird sich Barth der gesamten Lehrtradition der Kirche bedienen. Schon im Jahr 1923 hat Barth dies programmatisch in einem Vortrag über «Reformierte Lehre, ihr Wesen und ihre Aufgabe» in Beziehung zu setzen gesucht. Dabei erscheint auch der Begriff der Vorsehung bereits unter dem Aspekt der Möglichkeit zu positiven Aussagen über Gottes heilschaffendes Wirken. So ist dann «die reformierte Gotteslehre mit ihrer schroffen Unterstreichung von Gottes Einzigkeit, Herrschaft und Freiheit pointiert vollzogen in den polemischen Kernlehren von der ewigen göttlichen Vorsehung und Erwählung, die in ihrem Nerv Aussagen nicht sowohl (wofür man sich später so dringend interessierte) über die Führung und das Los des Menschen an sich, als über die Art des Wollens und Wirkens Gottes an den Menschen gewesen sind» (57).

In diesem Sinn entfaltet Barth ab 1935 seine Gedanken zur Vorsehung.

b) Vorsehung und Philosophie bei K. Barth

In der Polemik gegen alle religiöse Weisheit als frommem Nebel läßt Barth erstaunlicherweise der Philosophie grundsätzlich eine positive Möglichkeit als Darstellung der wahren, d. h. begrenzten, Situationen des Lebens des Menschen zukommen. Zu Röm. 8, 20ff. schreibt er:

«Für die heilsame Öffnung unsrer Augen sorgt das Leiden und, unmittelbar an das Grenzdatum des Leidens anknüpfend, in ihrem Wesen als Deutung dieses Datums die ihres Namens würdige Philosophie. Also, nicht-wissend um Gott und sein Reich, wissend um das Seufzen alles Geschaffenen, gehen wir einig mit jeder ehrlich profanen, nicht einig mit den Halbheiten theologischer Natur- und Geschichtsbetrachtung. Denn gerade jenes Nicht-

die ontische Necessität des Glaubensgegenstandes geht der noetischen voran (47–51); die Begründung eines als unbekannt behandelten Glaubensartikels im Mittelpunkt der andern als bekannt behandelten (52–57), also kein grundsätzliches Zweifeln, kein «Sich-außerhalb-der-christlichen-Botschaft-Stellen», sondern Gespräch mit dem glaubenden insipiens (58–62);
keine apologetische Aktion, «die Durchführung des intelligere des Gläubigen, eben der Beweis nach innen, ist auch der Beweis nach außen» (65).

Zum politischen Verhältnis der KD vgl. u. a. F. W. Marquardt in seinem Aufsatz im Registerband der KD: Exegese und Dogmatik in Karl Barths Theologie, 654–657.

57) Vortr I, 200.

Wissen und dieses Wissen sind der Stahl und der Kiesel, aus denen, sofern sie im Geist, in der Wahrheit zusammentreffen, als Neues und Drittes das Feuer des nicht-wissenden *Wissens* von Gott und des wissenden *Nicht-Wissens* von der Leerheit unsres Daseins, das Feuer der *Liebe zu Gott,* weil er Gott ist, aufspringt, während das theologische, scheinbare Wissen von Gott und scheinbare Nicht-Wissen von der Leerheit unsres Daseins sich weder im Geist und in der Wahrheit treffen, noch weniger Feuer und noch weniger das Feuer der Liebe zu Gott entzünden können» (58).

Wenn man Barth hier beim Wort nehmen dürfte, so wäre dies eine theologisch-methodisch unerhört wichtige und fruchtbare Passage. Sie zeigte dann nämlich die Konfrontation des Trägers der Tradition der Offenbarung («Theologie») und des Trägers des Denkens der Erfahrung («Philosophie»), die beide an sich nicht Begegnung mit Gott vermitteln. Die Offenbarung Gottes – oder das «Feuer der Liebe zu Gott» – als eigentliche Begegnung Gott–Mensch wäre dann ein Drittes, nicht in einem der beiden Elemente enthalten, auch nicht in ihrer Vermischung oder Abgrenzung, sondern im Zusammentreffen ihrer je eigenen Aussagen ihrer Wahrheiten in der Wirklichkeit des Menschen als Wirklich-Werden Gottes.

Barth verlangt nun aber nicht eine eigenständige, sondern eine «ehrlich profane» philosophische Betrachtung. Nach seinen eigenen Bedingungen gelingt diese Erkenntnis der Begrenztheit jedoch nur dem, dem Gott begegnet, resp. wem diese Erkenntnis gelingt, dem ist Gott begegnet. Deshalb kann im Grunde keine Philosophie, die über die Feststellungen von Erfahrungen zu deren Reflektieren hinausgeht, Barths Bedingungen erfüllen. Jede Philosophie, die aus dem Menschen selbst ursprünglich geschieht (59), ist damit zum Vornherein ihrem Wesen nach verurteilt. Im Vorwort zum Römerbriefkommentar heißt es bereits: «Die Philosophen nennen diese Krisis des menschlichen Erkennens den Ursprung. Die Bibel sieht an diesem Kreuzweg Jesus Christus» (60).

58) Röm II, 302.

59) Vgl. zum «Ursprünglichen» des Philosophierens K. Jaspers, Einführung in die Philosophie, München 1953, Kp. II. H. Ott aaO 121, Anm. 36 sagt dazu: «Bei Karl Barth wird dagegen die Radikalität des theologischen Ansatzes in einer Weise gestaltet, daß dadurch die Radikalität philosophischen Fragens, wie es doch im Kontext der Theologie und um deren eigener Konsistenz willen notwendig wäre, zum Vornherein verunmöglicht wird.»

60) Vorwort zu Röm II, XIII: «Gott ist im Himmel und du auf Erden. Die Beziehung dieses Gottes zu diesem Menschen, die Beziehung dieses Menschen zu diesem Gott ist für mich das Thema der Bibel und die Summe der Theologie in Einem. Die Philosophen nennen diese Krisis des menschlichen Erkennens den Ursprung. Die Bibel sieht an diesem Kreuzweg Jesus Christus.»

Dies zeigt sich später u.a. in der Art und Weise, wie Barth in der Vorsehungslehre der Kirchlichen Dogmatik gegen Sartre und Heidegger argumentiert (61). Die Erschütterung durch das Leiden wird ihnen zugestanden, ja Barth anerkennt sogar,

«daß sie jedenfalls das Thema des Nichtigen in solcher Dringlichkeit zur Sprache bringen, das ist ihr positiver Verdienst in dieser Sache, damit leisten sie faktisch etwas, was man in viel alter und neuer – auch christlicher – Literatur so nicht geleistet findet» (62).

Aber des wirklich Nichtigen aus der Sicht der Offenbarung in Barths Verständnis werden sie nicht ansichtig. Was sie dazu sagen, ist nichts als «blinder Lärm» (63). Sie fallen unter das in KD III, 3 wiederholte Verdikt des Römerbriefkommentars, daß sie «einen Gottesersatz ... faktisch anzubieten wagen» (64). Ähnlich werden im gleichen Band – als Beispiele positiver philosophischer Weltsicht – die leibnizische Theodizee und im gleichen Atemzuge das System Hegels als Spiegelung des menschlichen Selbstvertrauens so definiert und verurteilt: «Er beschreibt nicht den wirklichen Gott, der der Herr seiner Schöpfung ist, sondern den Menschen, der ihr Herr sein möchte» (65). Ähnlich summarisch wird in KD IV, 4 abschließend wieder von Gott als dem «ganz Ändernden» und darin *ganz* Anderen gesprochen. Gott ist danach

«mehr als die verschiedenen Geheimnisse des natürlichen und geschichtlichen Makro- und Mikrokosmos, in denen der Mensch nach Zufall und Gutfinden jetzt diese, jetzt jene Letztwirklichkeit erkennen zu können und verehren zu müssen meint. Er ist, erkennbar in seinem besonderen Werk und Wort, Gott *über* den Göttern der Religionen. Er ist aber auch mehr als der Inbegriff des seienden Seins, des Ursprungs, der Transzendenz, des Umgreifenden, des ‹ganz Anderen›, er ist, erkennbar in seinem Werk und Wort, Gott auch über dem so oder so zu benennenden ‹Gott der Philosophen›» (66).

So fragt es sich, was davon praktisch zu halten ist, wenn Barth der Philosophie eine positive Eigenständigkeit zuspricht und dies während seines gan-

61) KD III, 3, 383–402.

62) KD III, 3, 397–398.

63) KD III, 3, 402.

64) KD III, 3, 496.

65) KD III, 3, 362. Vgl. zu Hegel den entsprechenden § 10 in: Die prot. Theologie des 19. Jh., und D. Schellong 80–81; zur Ausführung des Barthschen Standpunktes gg. eine philosophische Theologie die Ausführungen von H.-G. Geyer anhand v. Leibniz in: Theologie des Nihilismus in dem Sammelband: Philosophische Theologie im Schatten des Nihilismus, ed. J. Salaquarda, Berlin 1971, 74–79.

66) KD IV, 4, 161.

zen Lebens immer wieder betont (67). Es geschieht dies v.a. in Form einer Ablehnung der traditionellen Rede von der Philosophie als ancilla (Magd, d.h. dienender Disziplin) der Theologie. Uns scheint dies im Grunde nicht eine die Philosophie anerkennende, sondern die Theologie befreiende, ja autonom setzende Absicht zu haben. Barth will die Theologie vom Aufbau auf einer Philosophie befreien, die ja doch im Bereich ihrer Fragestellung ursprünglich sein will und damit den Nerv der Theologie, den Einsatzpunkt Jesus Christus, beseitigt (68).

Es finden sich zwar immer wieder Äußerungen von erstaunlicher Freiheit zum Thema der Zuordnung von Philosophie und Theologie in gegenseitiger Vorläufigkeit. In der Ethikvorlesung von 1928/1930 schreibt Barth:

«Wir würden ja das Weltgericht doch wieder in das gerade von Christus erledigte Weltgericht der Idee verfälschen und uns selbst zu Weltrichtern einsetzen, wenn wir uns nun etwa mit irgendeiner Norm des Christlichen bewaffnen und unter den philosophischen Ethikern zu dem Zweck Umschau halten wollten, welche wohl nun zu den Schafen, welche aber zu den Böcken gehören möchten... Das Christliche und das Unchristliche wird uns wohl nie und nirgends gesondert wie schwarz und weiß begegnen, sondern das eine wie das andere, und zwar in der Philosophie wie in der Theologie, in hundertfältiger Gebrochenheit» (69).

Und über sein Verhältnis zu Jaspers kann Barth einmal schreiben:

«Wir sind einig in der Bemühung um die Erkenntnis des Geheimnisses, das den Mikro- und den Makrokosmos wie begrenzt so auch bestimmt. Es zeigt sich (uns) ... unter einem je ganz anderen Aspekt, und so kann (unsere) ... Lehre schon vom ersten Wort an nicht eben dieselbe sein. Wir sind aber auch darin einig, daß dieses Geheimnis in sich eines und dasselbe ist – und einig auch darin, daß es sich lohnt, sich dem Dienst seiner Bezeugung mit ganzem Ernst hinzugeben» (70).

Ähnliche Thesen vertritt Barth dann schließlich auch über «Theologie und Philosophie» in dem 1958 geschriebenen Aufsatz zum 70. Geburtstag seines Bruders Heinrich Barth. Daß freilich der Gott der Bibel als der ganz andere, ganz Ändernde über dem Gott der Philosophen steht und stand, war für den Theologen Barth immer undiskutabel. Daß das Werk der Philo-

67) Vgl. dazu K. G. Steck 25–26.

68) Dazu Steck aaO und Schellong 91 über Barths Urteil betr. Bultmann.

69) Ethik I, 62, vgl. auch aaO 74.

70) Busch 365. Vgl. die gemeinsame Begrifflichkeit mit dem Zitat aus KD IV, 1. 161 (Zitat im Text Seite 95).

sophie auch «in Gott getan» sein könne, ließ Barth grundsätzlich offen (71).

Praktisch zeigt es sich gerade am Thema der Vorsehung Gottes, d.h. der menschlichen Erfahrung positiver und negativer Art, daß so nur ein Abweisen philosophischer Weltsicht möglich ist. Die Erfahrung in ihrer zum Nichts oder zur Weltenharmonie führenden Reflektion auf ein Umfassendes kann nach dem Theologen Barth nicht von ferne auch nur erahnen, worum es in Gottes Vorsehung als Gottes Werk am Menschen geht. Daß damit die Selbständigkeit des Menschen *in der umfassenden Reflektion* seiner Erfahrung als Geschöpf Gottes nur noch in der Form eines Negativs der Offenbarung existieren kann, liegt in der Konsequenz dieses theologischen Denkens (72). Hingegen enthält Barths Denken v.a. seit der zweiten Phase immer stärker die Erfassung *christlicher Existenz* als positivem Werk Gottes, gerade unter dem Gesichtspunkt der göttlichen Vorsehung. Ihr gegenüber steht die Abweisung des Allgemeinen und seiner nur relativen Gegensätze als nicht durch das Wort Gottes regiert, als «nur Philosophie» (73).

Damit aber steht die Theologie Barths in der Gefahr, sich nicht nur selbst genügende Theologie, sondern sich auch selbst genügende Philosophie – sc. der analogia fidei – zu sein, in der schließlich – in einer leichten Abwand-

71) Ethik I, 62.
S. dazu den Aufsatz: Philosophie und Theologie in: Philosophie und christliche Existenz, Festschrift für Hch. Barth, Basel 1960, 93–106, v.a. 105–106; und Busch 451.

72) Überspitzt gesagt: Aus Calvins «Erkenntnis Gottes und seiner selbst» wird die Erkenntnis Gottes und des von ihm verworfenen Nichtigen, wozu in letzter Konsequenz auch das Bemühen des Menschen gehört, sich seines Da-Seins in der Welt zu vergewissern.

73) Schicksal und Idee in der Theologie (1929) in: K. Barth, Theologische Fragen und Antworten, Zürich, 1957, 60: «Auch in der Theologie werden wir nicht umhin können, uns mit diesem Doppelaspekt der Wirklichkeit auseinanderzusetzen. Er wird uns bei der Erforschung der Wahrheit des Wortes Gottes ganz von selber begegnen, so gewiß wir diese Erforschung nicht anders als eben mit den Mitteln menschlichen Denkens bewerkstelligen können. Und dann wird sich die kritische Frage, ob wir Theologie oder doch nur Philosophie treiben, daran entscheiden, ob wir der Gefahr und Versuchung widerstehen können, bei unserer Erforschung der Wahrheit Gottes in jenem auch dem nicht durch das Wort Gottes regierten menschlichen Denken offenbaren Doppelaspekt der Wirklichkeit stecken zu bleiben, konkret gesagt: Gott im Schicksal oder Gott in der Idee zu suchen und zu finden, ob wir vielmehr daraufhin, daß unser Denken durch Gottes Wort regiert wird, die Relativität jenes Doppelaspektes, seine Aufhebung nicht in einer letzten von uns zu vollziehenden Synthese, wohl aber in der sich uns offenbarenden Wirklichkeit Gottes selber als des Herrn aller Wirklichkeit erkennen sollten.»

Vgl. dazu Steck 25ff.

lung eines Verses von Chr. Morgenstern – «nicht sein kann, was nicht sein darf» (74).

3. Vorsehung in Barths Theologie der 30er und 40er Jahre

a) Äußerungen zum «Credo» und «Heidelberger Katechismus»

In Barths Auslegung des apostolischen Glaubensbekenntnisses von 1935 zeigt sich die Problematik einer offenbarungstrinitarischen Grundlegung von Schöpfungs- und Vorsehungslehre besonders deutlich. Barth leitet zunächst – in den Ausführungen zum Glauben an «Gott Vater, den Allmächtigen» – die Vaterschaft Gottes aus seiner Allmachtsoffenbarung in Christus ab. «Sie ist die Allmacht der gültig über uns gefallenen und als solche von uns anerkannten göttlichen Entscheidung». Deshalb gilt von ihr positiv, daß «wir von ihr wirklich von allen Seiten umgeben, in jeder Hinsicht getragen sind, weil sie mit unserer Existenz auch unsere Welt beherrscht und zwar restlos beherrscht.» Das Trostwort von den Sperlingen, deren keiner auf die Erde fällt

74) Vgl. dazu Schlichting 236:
«Kein System kann unter der Berührung durch Gottes Wort bleiben, wie es war. Aber auch keines scheidet als Gesprächspartner aus. Die ausführlichen Auseinandersetzungen mit verschiedenen Philosophen in der KD sind nicht nur schmückendes Beiwerk, sondern unentbehrlicher Bestandteil. Denn die Offenbarung leuchtet die in der Philosophie erschlossenen Denk- und Sprachräume aus, sei es, daß sie ihre Brüchigkeit aufdeckt und sie verfallen läßt, sei es, daß sie ihr Licht in ihnen installiert, um sich künftig darin zu bewegen.»

Wir können dieser Interpretation nicht zustimmen. Wenn es auch praktisch bei Barth zu einer Ablehnung der Philosophie als einem nicht der Offenbarung gemäßen Denken kommt, so doch nicht in der Form einer Gewinnung von Sprachräumen durch die Offenbarung dank der Philosophie. Die Offenbarung erschließt bei Barth sich selbst ihre Sprachräume und kann bei Barth völlig ohne Auseinandersetzung mit philosophischen Systemen dargestellt werden. Unentbehrlicher Bestandteil der KD sind diese Auseinandersetzungen nicht wegen der damit erschlossenen Sprachräume, sondern wegen der Abweisung des Anspruchs philosophischer Systeme, das Eigentliche auszusagen, worum es in der Offenbarung geht; und zwar führt Barth die Auseinandersetzung v. a. dort, wo die Gefahr eines solchen Anspruchs naheliegt und mit der von ihm dargestellten Offenbarung verwechselt werden könnte, z. B. das Nichts der Existenzialphilosophie mit dem «Nichtigen» Barths.

Vgl. zum Sachproblem die Thesen am Schluß des Aufsatzes von E. Jüngel, Metaphorische Wahrheit, in: Metapher. Zur Hermeneutik religiöser Sprache, Sonderheft EvTh 1974, 71–122; jetzt auch ders., Gott als Geheimnis der Welt, Tübingen 1977, sowie Link aaO.

«ohne euren Vater» wird zur Bestätigung dieser totalen Sicht des offenbarten Schöpfergottes (75).

Die Providenzlehre hat nun die Aufgabe, einerseits die Grenze zwischen Gott und Welt und anderseits das Zusammensein Gottes mit der Welt als «freie allmächtige Gegenwart und Herrschaft in der von ihm geschaffenen Welt» darzustellen. Sie wird bereits in den Kategorien der orthodox-protestantischen Dogmatik referiert: als Erhalten, Begleiten und Regieren. Barth sieht kein Problem des Gegensatzes zwischen Gottes unbedingter Überlegenheit und der Kontingenz des Geschöpfs resp. der Freiheit des Willens. Diese wird nach ihm gerade durch die göttliche Vorsehung anerkannt, umschlossen und regiert. Hier hat die Formalisierung der Vorsehungslehre zu einer allgemein-abstrakten Darstellung des Bezugs von Gott und Welt die Herrschaft angetreten, was entgegen Barths Meinung gerade nicht die Schule Calvins ist, sofern man dies als Urteil über Calvin verstehen soll (76).

Diese Lehre von der Vorsehung gerät nun aber nach Barth in Konflikt mit der christologischen Begründung. Es gibt Fragen und Antworten des Glaubens, die sich nicht in dieser Lehre der Schöpfung (wir ergänzen: und v.a. Vorsehung) einreihen resp. beantworten lassen. Es sind dies die Fragen nach der Möglichkeit der Sünde, des Übels und des Todes und zusammengefaßt des Teufels (77). Man darf hier die Linie des Schöpfungsdogmas nicht zu Ende führen und muß es «unterlassen, nach irgend einer Begründung ihrer Existenz zu fragen» (78). Die Dogmatik muß hier an dieser Stelle «inkonsequent» sein, um ihrer Sache willen. – Die Antworten des Glaubens sind: das Wunder, das Gebet und die Kirche als Beispiele besonderer Gegenwart Gottes (79).

Diese beiden Seiten der Glaubenswirklichkeit lassen sich nur von der Gnade Gottes in Jesus Christus her einsehen (80).

Von der Schöpfungslehre her wird nun aber Gott dennoch bereits als «Herr und Sieger auch über diese absurden, diese unmöglichen Möglichkeiten» bezeichnet. Das Böse bleibt mysterium iniquitatis. Erst von der Inkarnation her wird die neue Schöpfung geschaffen.

Dieser Widerspruch beeinträchtigt nun entscheidend die Möglichkeiten einer vom 1. Artikel her entworfenen Vorsehungslehre. Barth meint darum:

75) Credo 24–25.
76) aaO 34.
77) aaO 35.
78) aaO 36.
79) Ebda.
80) Ebda.

«Auf der Linie des Schöpfungsdogmas ‹konsequent› weiterdenkend, würden wir die Inkarnation, das Wunder, das Gebet, die Kirche so oder so leugnen müssen» (81). Müßte man nun nicht aufgrund von Barths eigenen Prinzipien folgende gegen ihn gerichteten Sätze formulieren: Auf der Linie des Geheimnisses der Inkarnation weiterdenkend, müßte man die Möglichkeit einer Providenzlehre in der Form eines nur positiven Verhältnisses des allmächtigen Gottes zur Welt grundsätzlich in Frage stellen? Und: Das Problem des Bösen, das von der Inkarnation her seine Lösung als überwundenes Böses empfängt, wird in der Vorsehungslehre zur großen crux. In deren Rahmen kann es nur ein mysterium sein, aber darf nicht dieses Charakters durch seine Bezeichnung als «unmögliche Möglichkeit» entkleidet werden. Sonst spaltet sich die Vorsehungslehre in ein erklärt gutes Allmachtswirken Gottes und in ein erklärt nichtiges Nichtiges. Das setzt aber den Schlußpunkt hinter die Formalisierung der Vorsehungslehre und den Anfang einer heilsontologischen Form ihrer Darstellung.

Man müßte weiter fragen, ob diese Verwirrung zweier Artikel nicht dadurch gelöst werden müßte, daß in Barths offenbarungstrinitarischem Denkmodell die Vorsehungslehre im Grunde nicht an die Schöpfungslehre anschließen, sondern anschließend an die Christologie ihr vorgeordnet sein müßte, so wie es im Grunde der Heidelberger Katechismus in der ersten Frage und Antwort tut. Das Nichtige würde dann nicht zum Problem der Providenzlehre, sondern zu dem der Schöpfung und Eschatologie. Die Lehre von Gottes Vorsehung würde dann von dem Zwang zur Darstellung des allein guten Wirkens Gottes befreit und frei für das Eingehen auf die Wirklichkeit des Menschen im «Noch nicht» und «Jetzt schon» der Erlösung.

In den Ausführungen zum Heidelberger Katechismus von 1948 geht Barth allerdings konsequent seinen einmal eingeschlagenen Weg weiter, auch entgegen dem Text des Katechismus selbst. In dessen Antwort zur ersten Frage werden Erlösung, Bewahrung und eschatologische Ausrichtung zusammen gesehen (82). Barth macht daraus die Aussage, daß «der Mensch objektiv als ein völlig Bewahrter existieren darf» (83). Die Zusage der Bewahrung wird zur positiven Norm christlicher Existenz, selbst das «Sorget nicht für den kommenden Tag» ist nach Barth «gegenstandslos geworden» (84). Die Subjekthaftigkeit des Menschen «mit meiner Sorge und meiner Erbärmlich-

81) aaO 37.
82) Heidelberger 23.
83) aaO 26.
84) aaO 28.

keit, aber auch mit meinem Erfolg und mit meiner Leistung» ist durch das «Jesu Christi eigen» aufgehoben. Barth zitiert dazu das Gedicht «Schutzbrief» von Werner Bergengruen – ein einmaliger Tatbestand in seinem dogmatischen Werk und wohl nur aus der biographischen Situation der Kriegs- und Nachkriegszeit zu erklären. Es drückt allerdings nicht die tatsächliche Erfahrung des Menschen und Christen aus – dem in jenen Jahren all das und noch Schlimmeres zustieß, als Bergengruen darstellt –, sondern eben die Gewißheit eines objektiven Bewahrtseins. Wenn sie in dieser Form als Norm christlichen Bewußtseins dargestellt wird, kann sie allerdings aus einem objektiven Grund unseres Trostes schließlich zum subjektiven Grund christlicher Angefochtenheit werden.

Die Aussagen des Katechismus zu den Fragen 26–28 (85) sprechen in Ausführung des 1. Artikels des Credo praktisch nur von der Vorsehung Gottes. Dennoch ordnet Barth sie dem Satz unter; «In diesen drei Fragen ist die Lehre von der Schöpfung enthalten.» Das Geschöpf-Sein des Christen im Kosmos wird hier nun aber aufgefaßt als Geschöpf des Erlösers, der auch der Schöpfer ist. Damit kommt ein eschatologischer Zug von den Aussagen des Katechismus her auch in Barths Auslegung hinein. Gott regiert die Welt mit dem Ziel der Erlösung des Christen. Damit und darin besteht die Bewahrung, daß Gott das Nein ins Ja wendet. Daß er unser Bestes will, ist nicht Aussage der schlechthinnigen Überlegenheit Gottes, sondern Ansage dessen, daß er «alles dem Ziele entgegenführt» (86). Nun kann Barth ohne weiteres die negativ geprägte Wirklichkeitserfahrung des Menschen aufnehmen, wie sie im Text des Katechismus beschrieben ist (den Barth übrigens glattweg mit «Gottes Wort» identifiziert!):

«Von solchen Wesen im Kosmos gilt alles das, was Gottes Wort von uns aussagt: Als solche sind wir ‹im Elend› (Fragen 3–9), sind wir ‹in diesem Jammertal› (Frage 26), ‹in aller Widerwärtigkeit› (Frage 28) und mit allen seinen Widersprüchen (Frage 27). Und von solchen Lebewesen gilt auch das Andere, daß sie der Erlösung bedürfen, daß sie als solche Gegenstand der Liebe Gottes sind» (87).

85) aaO 51–57. Vgl. zu deren Interpretation in:
Handbuch zum Heidelberger Katechismus, ed. L. Coenen, Neukirchen 1963;
v. a. L. L. J. Visser, Die Lehre von Gottes Vorsehung und Weltregiment, 105–112;
und G. W. Locher, Das vornehmste Stück der Dankbarkeit. Das Gebet im Sinne der Reformation nach dem Heidelberger Katechismus, 171–186;
sowie P. Jacobs, Theologie reformierter Bekenntnisschriften in Grundzügen, Neukirchen 1959, v. a. 59–86.

86) aaO 55.

87) aaO 52.

Und: «Es ist alles sehr gut, weil alles geschaffen und bestimmt und darum auch geeignet ist – ob wir es sehen oder nicht – zu seinem Dienst» (88).

In dieser Passage zeigt sich freilich wieder eine Tendenz zur Objektivierung einer guten Schöpfungswirklichkeit, die allenfalls vom Ziel der Wege Gottes her, aber nicht von der Lebenswirklichkeit des Menschen her verstanden werden kann. Die Allmacht Gottes, von der her alles «geeignet» zu seinem Dienst ist, kann wiederum zum abschreckenden Bild Gottes werden. Zur Begründung von Geduld, Dankbarkeit und Zuversicht, was nach Frage 28 den «Nutzen» der Erkenntnis von Schöpfung und Vorsehung ausmacht, gehört es, daß nicht aus der Verheißung Gottes, das Nein ins Ja zu wenden, eine Eignung des Kosmos zum «Gleichnis des Himmelreiches» auch in seiner dunklen und bösen Seite wird. Er wird es nach Barth durch die freie Gnade Gottes als Vorsehung. Das ist ganz in der Nähe einer eschatologischen Umorientierung der Vorsehung als Verheißung; aber durch die Notwendigkeit der Darstellung der Schöpfung als Gnadenwirklichkeit wird dieser Ansatz nicht eigenständig oder gar systembildend wirksam. Sonst müßte Barth die Vorsehung nicht mehr von der Schöpfung in Christus her angehen, sondern wirklich als freie Gnade in Christus auf dem Weg zur Schöpfung als eschatologisch verheißener Wirklichkeit (89).

b) Äußerungen zur Zeitgeschichte

In verschiedenen Stellungnahmen Barths aus den Jahren 1938–48 (90) zeigt sich derselbe Zwiespalt zwischen der Souveränität Gottes und der Vorse-

88) aaO 55.

89) Wir denken dabei in ähnlicher Richtung wie Sauter 160–176 in seinen Ausführungen über den status promissionis der Welt und das Thema «Eschatologie und Protologie». Ein Ansatz dazu findet sich bei Barth in KD II, 1, v. a. 128 f. Vgl. zu der hier geäußerten Kritik die These J. Moltmanns in: Der gekreuzigte Gott, München 1972, 203, der Gekreuzigte müsse «als Ursprung der Schöpfung und als Inbegriff der Eschatologie des Seins» gedacht werden. Die trinitarische Ausführung dieser These bei Moltmann 230–239 kann von uns allerdings so nicht geteilt werden. Sie scheint uns ebenfalls – wie Barth – zuviel als «geeignet» für Gott zu erklären. Vgl. dazu Bertold Klappert, Die Gottverlassenheit Jesu und der gekreuzigte Gott, in: Verkündigung und Forschung, BhEvTh 2/75, 35–53, bes. 48–51 zur Gegenüberstellung Barth–Moltmann. Weitere Ausführungen zum Thema bei H.-J. Kraus, Reich Gottes: Reich der Freiheit. Grundriß systematischer Theologie, Neukirchen-Vluyn 1975, bes. 208–213; sowie jetzt auch Link 190 ff.

90) Zum Biographischen s. Kupisch 96–98 und 107–113 sowie Busch 300–304, 322–325 und 370–374.

hung als Verheißung. Das Problem zeigt sich hier aber in einem neuen Zusammenhang unter der Frage der rechten Inanspruchnahme des Glaubens an die Vorsehung Gottes.

In dem Vortrag «Die Kirche und die politische Frage von heute» (1938) bringt Barth das Problem der Vorsehung in Verbindung mit der Frage nach dem rechten Gebet in der politischen Bedrohung zur Sprache (91). Im Anschluß an die Bitte des Unser Vater «Führe uns nicht in Versuchung, sondern erlöse uns von dem Bösen» soll man «in concreto auch um die Dämpfung und Beseitigung des Nationalsozialismus beten.» Das Gebet für die Obrigkeit soll auch in dieser Situation nicht aufgegeben werden «im Blick darauf, daß sich jene gewissen, nicht zum Übrigen passenden Reste einer wirklichen Obrigkeit auch im Bereich des Nationalsozialismus erhalten haben und durch das Walten der göttlichen Vorsehung fernerhin erhalten können.» Erst danach folgt die Bitte «Dein Wille geschehe» mit der Aussicht auf das Ende «Komme ich um, so komme ich um!»

Die sich hier zeigende Beziehung von Gebet und Vorsehung wird bei Barth später immer stärker ausgebaut. Im Glauben an das Wirken des souveränen Gottes in der Geschichte wird sowohl die Bereitschaft zum Leiden als auch die Abwehr des Bösen als Gottes vorläufige Möglichkeit auf dem Hintergrund des Gerichtes Gottes über das Böse als endgültige Wirklichkeit aufgenommen. Barth formuliert dies so:

«Um so gewisser und fröhlicher, als es dabei ja wirklich nicht zuerst um menschliches Leiden oder Nicht-Leiden, sondern um den Austrag der Begegnung zwischen der Verkündigung Jesu Christi und dem Widerpart geht»,

die offenbar schon entschieden ist. Die heilsontologische Vorordnung der Offenbarung führt hier zur grundsätzlichen Abweisung der Frage nach der Leidenserfahrung.

Anläßlich des 650-jährigen Bestehens der Schweiz. Eidgenossenschaft schrieb Barth einen Artikel zum Nationalfeiertag unter dem Titel: «Hominum confusione et Dei providentia Helvetia regitur» (92). Er spricht darin von einer «doppelte(n) ... Regierung, ... eine im Vordergrund, ausgeübt durch die Menschen ... und eine im Hintergrund, ausgeübt durch Gott den Allmächtigen, von denen in den ersten Worten unserer Bundesverfassung die Rede ist» (93). Barth warnt davor, dies für den Bestand der Nation als Garantie in Anspruch zu nehmen:

91) Alle Zitate Vortr IV, 96–97.

92) Vortr IV, 233–239.

93) aaO 233.

«Bekennen wir klar und deutlich, daß Gott es uns nicht schuldig ist, daß sie fernerhin erhalten bleibe! Gottes Vorsehung wäre um kein Haar weniger barmherzig, weise und allmächtig, wenn seine Regierung die Schweiz morgen in das Gericht und in den Untergang führen würde» (94).

Nur in der Bitte um Gnade und in lebendiger, tätiger, entschlossener und opferbereiter Dankbarkeit (95) – darf die göttliche Vorsehung zwar nicht als Garantie einer weiteren Erhaltung in Anspruch genommen, aber gepriesen werden «als die Regierung der Gnade Gottes, die das allein möglich und wirklich machen kann».

Die Inanspruchnahme der Vorsehung und des Allmächtigen für die Ziele des Staates ist hingegen Ausdruck des Totalitarismus, Erhebung des Staates zur Gottähnlichkeit. Dies führt Barth 1944 in «Verheißung und Verantwortung der christlichen Gemeinde im heutigen Zeitgeschehen» als Deutung des deutschen Schicksals aus. Die notwendige Konsequenz war der Angriff auf Christen und Juden und damit «gegen das Geheimnis der göttlichen Erwählung» (96).

Die rechte Verbindung des Menschen mit Gott – über dessen Erwählung in Christus – ist also der Vorsehung vorgeordnet und bürgt für die entscheidende Differenzierung zwischen echter Heilszuversicht in der Erwählung und falscher Heilszuversicht in der direkten Inanspruchnahme der Vorsehung Gottes, der man sonst verfällt und mit der man fällt.

Erstaunlich ist nach dem Bisherigen die Direktheit, mit der Barth diese Erfahrung mit dem deutschen Schicksal unter dem Nationalsozialismus als «Gottesbeweis, der im Geschehen unserer Zeit auch in dieser Hinsicht sichtbar ist» (97), ansprechen kann. Erfahrungen, die dem offenbarungstheologischen Schema entsprechen, haben offenbar eine Art sekundären Zeugnischarakters, wenigstens «für die, die Augen haben, zu lesen» (98). Die Aufgabe der Gemeinde als «Gemeinde der Sehenden» ist es nun, in ihrem Zeugnis der Welt dafür die Augen zu öffnen, daß Gott regiert. «Die Welt leidet daran, daß sie das nicht weiß», ja «dieser ganze Krieg mit all seiner Not und Angst hätte gar nicht aufkommen können, wenn die Welt es gewußt hätte, daß

94) aaO 237–238.

95) aaO 238. Die theologischen Kategorien entsprechen dem Heidelberger Katechismus und werden später in KD III, 3.286ff. unter dem Begriff des Gehorsams wieder aufgenommen.

96) Vortr IV, 320, zum Gesamtzusammenhang 317–321. Zur Erwählung der Gemeinde vgl. den 1942 erschienenen Bd. KD II, 2, § 34, 215–336.

97) Vortr IV, 321, vgl. später KD III, 3, 271 ff.

98) Vortr IV, 324.

Gott regiert» (99). Auch der Sinn solcher Sätze muß offenbar darin gesucht werden, Gottes Souveränität auch über dem mit seiner gnädigen Vorsehung Unvereinbaren, in deren totalitären Bemächtigung als dem Widergöttlichen gekennzeichneten, festzuhalten. Daß sich Barth nicht mit der Aussage von Gottes Gericht begnügt, sondern noch im nachhinein dasselbe Geschehen als Gottesbeweis für die Sehenden und als Katastrophe der Nicht-Sehenden für die Verkündigung Gottes in Anspruch nimmt, zeigt wiederum die Normierung der Erfahrung als positiv von der Offenbarung her gesetzter.

Auch die Kirche darf so wenig wie der Staat Gottes Vorsehung für ihre Pläne in Anspruch nehmen. Dies ist der Hauptgedanke in Barths Amsterdamer Vortrag über das ihm gestellte Thema «Die Unordnung der Welt und Gottes Heilsplan» (100). Er formuliert ihn sehr zugespitzt:

«Man hat sich durch das biblische Bild von der Kirche als dem Leibe Christi zu der nun gewiß nicht biblischen Redensart verleiten lassen, daß wir es in der Kirche mit einer Fortsetzung der Inkarnation des Wortes Gottes zu tun hätten. Wenn dem so wäre, dann wäre offenbar die Herrschaft Jesu Christi zur Rechten des Vaters und also das Walten von Gottes Vorsehung gewissermaßen in die Regie und Verwaltung der Christenheit übergegangen, und es würde die geplagte Menschheit ihr Heil von uns ... zu erwarten haben!» (101).

Beladen mit dem Gedanken «als ob die Sorge für die Kirche und für die Welt unsere Sorge sein müsse ... würden wir die Unordnung in Kirche und Welt nur noch vermehren können. Denn eben das ist schließlich die Wurzel und der Grund aller menschlichen Unordnung: die schreckliche, die gottlose, die lächerliche Meinung, als sei der Mensch der Atlas, dem das Himmelsgewölbe zu tragen verordnet sei» (102).

Auch eine christliche Geschichtsbetrachtung, die den Säkularismus des modernen Menschen oder die Sicht der Gegenwart als nach-christlicher Ära zum Thema hat, wird von Barth als «Unsinn» und «unter der Begrenzung unserer Zeit durch Jesu Christi Auferstehung und Wiederkunft» als unerlaubt angesehen. Barth verlangt, sich von allem «Streben nach einem christlichen Weltreich» freizumachen und fragt: «Was könnten wir eigentlich dagegen einzuwenden haben, wenn es Gott nun eben gefallen sollte, sein Werk nicht in einer weiteren zahlenmäßigen Vermehrung, sondern umgekehrt in einer energischen zahlenmäßigen Verminderung der sogenannten Christen-

99) aaO 325.
100) Erschienen als Th Ex NF 15, München 1949.
101) aaO 4.
102) aaO 5.

heit weiter und seinem Ziele entgegen zu führen?» (103). Deshalb muß das Thema umgedreht werden: «Der Heilsplan Gottes ist oben – die Unordnung der Welt aber und so auch unsere Vorstellungen von ihren Gründen, so auch unsere Vorschläge und Pläne zu ihrer Bekämpfung, das alles ist unten» (104).

Die Vorsehungslehre wird hier gegenüber der Kirche allein der Herrschaft Christi zugeordnet. Im übrigen verläuft die Argumentation analog wie gegenüber der Inanspruchnahme von Gottes Vorsehung durch den Staat. Für beide gilt das Wort, das allerdings

«die Kirche als die Gemeinde Jesu Christi immer zuerst als an sich selbst gerichtet hören muß. Beschließet einen Rat und es wird nichts daraus; denn hier ist Immanuel!» (105).

Barth argumentiert hier und in der seinem Vortrag folgenden Auseinandersetzung betont zugunsten einer biblisch-theologischen Haltung, die ein Theologisieren auf eigene Faust, d.h. unter Ausgehen von aktuellen Zuständen, anstatt vom gesamtbiblischen Kontext, verunmöglichen soll. Barths Hauptanliegen einer theologischen Grundlegung quer durch alle menschlichen Verhältnisse und nicht einer Theologie aufgrund menschlicher Verhältnisse wird damit auch gegenüber der Kirche selbst zur Geltung gebracht. Er sieht das Wesen solch biblischer Theologie in der «Bezeichnung des majestätischen, in keinen Pragmatismus aufzulösenden Geheimnisses Gottes» (106). Man wird aber gerade gegenüber der ausgeführten Vorsehungslehre Barths, zu deren Besprechung wir nun gelangen, fragen müssen, ob hier die Bibel diese kritische Funktion auch gegenüber einem offenbarungstheologischen Dogmatismus ausübt (107).

4. Die Lehre von der Vorsehung nach der Kirchlichen Dogmatik III, 3

Wir haben die Äußerungen der 30er und 40er Jahre absichtlich relativ ausführlich dargestellt, um zu zeigen, daß die Denkmodelle und inhaltlichen

103) aaO 8.
104) aaO 3.
105) aaO 10.
106) aaO 35.
107) Vgl. zur Kritik des Verhältnisses von Bibel und theologischer Dialektik in Barths Vorsehungslehre O. Weber Dogmatik I, 577, der sie aus entsprechenden Gründen als «einseitig noetisch» charakterisiert. Zur Ablehnung der ontotheologisch-normativen Seite von Barths Denken und zum eschatologischen Charakter der Dogmatik als ganzer in Weiterführung Barthscher Ansätze s. in: Parrhesia, J. Moltmann, Gottesoffenbarung

Elemente der Vorsehungslehre von Band III, 3 der Kirchlichen Dogmatik schon vor deren Abfassung bereit lagen. Wir referieren zunächst den Inhalt der betr. §§ 48 und 49 und fragen erst dann nach der biblisch-theologischen Begründung, die hier u. E. hinter der Formung der Vorsehungslehre durch die theologische Tradition und den systematischen Gesamtzusammenhang von KD I–III zurücktritt.

a) Inhaltsübersicht

Das Wesentliche der beiden der Vorsehung gewidmeten Paragraphen liegt nach § 48, 1 «Der Begriff der göttlichen Vorsehung» (108) in der Darstellung des Verhältnisses zwischen Schöpfer und Geschöpf in dessen Bedürftigkeit dem Schöpfer gegenüber, als versöhnungsbedürftige und darum erhaltene, von Gott erhaltene Welt (109). Barth findet deshalb den Begriff procuratio, Fürsorge, eigentlich sachgerechter als providentia. Es geht um Gottes Koexistenz mit seinem Geschöpf in seiner Transzendenz und Immanenz als Treue Gottes, um die Zuwendung des Schöpfers zur Existenz seines Geschöpfes auf der einen, und die Teilnahme des Geschöpfes an der Existenz seines Schöpfers auf der andern Seite (110). Diese Aufgabe sieht Barth in dem alt-protestantischen Schema der Vorsehungslehre sachgemäß angepackt und übernimmt es deshalb als Aufriß von § 49, 1.–3. Dabei wird im voraus festgestellt, daß die Vorsehungslehre nicht ein Teil der Lehre von Gott ist (wie die Erwählungslehre), sondern ein Teil der Lehre von der Schöpfung, da die Gnadenwahl der innere Grund der Schöpfung, die Vorsehung aber die Treue Gottes zu seiner Schöpfung und deren Indienstnahme für das eigentliche Geschehen des Bundes, der Gnade und des Heils ist. Die Vorsehung wird zum «supplementären Gotteswerk» und soll «Zeit, Raum und Gelegenheit für die Geschichte des Gnadenbundes» liefern (111).

Nur von daher ist nach § 48, 2 «Der christliche Vorsehungsglaube» (112) Gottes Vorsehung von irgendwelchen sonstigen Konzeptionen über ein Verhältnis dessen, was allenfalls «Gott» oder allenfalls «Welt» heißen könnte, zu

und Wahrheitsfrage 149–172 und G. Sauter, Dogma – ein eschatologischer Begriff, 173–191.

108) III, 3, 1–13.

109) III, 3, 5.

110) III, 3, 8 sowie 12. Zum Begriff procuratio s. III, 3, 2 und M. Geiger, Providentia Dei, in: Parrhesia, 673–708, 681.

111) III, 3, 7, sowie 47–56, Zitat 56. Zur entsprechenden Bestimmung der Schöpfung und ihrer ontologischen (von uns heilsontologisch genannten) Begründung s. Schmid 183–184. 188–190. Vgl. früher Anm. 5.

112) III, 3, 14–38.

unterscheiden. Sie ist kein gemeinsamer weltanschaulicher Vorhof, keine Verständigungs- oder Diskussionsbasis christlichen Glaubens mit andern Weltanschauungen, sondern «kraft ihrer Beziehung auf das, was Gott in Jesus Christus einmal für allemal getan hat, ein Geschehen sui generis» (113).

Diese christologische Begründung schafft den Zusammenhang zwischen Weltgeschichte und Heilsgeschehen und bewirkt nach Barth die von ihm so genannte «Konkretion» der Vorsehungslehre. So führt es § 48, 3. «Die christliche Vorsehungslehre» aus (114). Nach Barth handelt es sich nicht um eine Parallelität von 2 selbständigen Reichen, so daß «sein geschöpflicher Lauf unter Gottes Herrschaft mit seiner Geschichte unter der Führung desselben Gottes als des Herrn des Gnadenbundes sachlich und eigentlich nichts zu tun hätte» (115). Von der Offenbarung des Bundes Gottes her muß nach Barth die Entscheidung gefallen sein, daß Gott alles mit seiner Rechten regiert.

«Der Glaube, der durch Gottes Offenbarung *dort* erweckt wird, wird – weil er Glaube an Gott den Herrn ist – notwendig zum Glauben an seine Herrschaft auch *da,* wo solche Offenbarung nicht stattfindet» (116).

Dieses «Dennoch!» als Problem des Vorsehungsglaubens führt nach Barth zur Erkenntnis, daß das Weltgeschehen im Großen und im Kleinen Spiegel des Heilsgeschehens ist (117). Das göttliche Weltregiment zeigt sich im «Mitwirken der Kreatur» als Werkzeug, als Schauplatz und als Spiegel seiner Herrlichkeit (118).

Von der christologischen Begründung der Vorsehungslehre her, als von Gott dem Vater Jesu Christi handelnd, erhalten nun die Kategorien der altprotestantischen Dogmatik in § 49 ihre durchgehende Korrektur, als biblisch-christliche Füllung und begriffliche Umformulierung. Im Abschnitt «1. Das göttliche Erhalten» wird dieser Begriff der conservatio auf die servatio hin interpretiert, d.h. der von Gott vollbrachten Errettung vor der Macht des Nichtigen (119). Nur aufgrund von Gottes Gnadenbund ist die Erhaltung des Geschöpfs in seinen Grenzen ein eigener, begründeter und notwendiger Glaubenssatz (120). Nicht das Nicht-Sein, sondern das Nichtige als Chaos ist die Gefahr, vor der das Geschöpf bewahrt werden muß. Un-

113) III, 3, 30.
114) III, 3, 38–66.
115) III, 3, 44.
116) III, 3, 45–51, Zitat 50.
117) III, 3, 59.
118) III, 3, 60–63, vgl. III, 1, 64.
119) III, 3, 90. Vgl. zum Thema Geiger aaO 676–677 und III, 3, 131–133.
120) III, 3, 82–83.

ter dessen Herrschaft müßte das Geschöpf verloren gehen. Gott hat es in Christus davor bewahrt. Damit ist ihm eine ewige Erhaltung sicher, die jetzt schon hinter seiner zeitlichen Erhaltung als deren Kraft und Wahrheit steht (121).

Im Abschnitt «2. Das göttliche Begleiten» betont Barth v.a. die Übermacht des göttlichen Wirkens als väterlicher Herrschaft, die Freiheit zum Leben in Gottes Liebe gibt (122). Die Probleme einer falsch gestellten Frage nach der Freiheit des Geschöpfs unter einem formalen Begriff von Gottes Allmacht sind damit nach Barth überholt (123). Es geht um eine alles umfassende heilsame Gegenwart Gottes im Heiligen Geist (der hier zum erstenmal in der Vorsehungslehre Barths auftaucht), in welcher Gott dem Geschöpf die Freiheit gerade gewährt (124). Dieses Umfassende kennzeichnet Barth durch das Ausfächern des Begriffs concursus (Begleiten) in Gottes Vorausgehen, Begleiten und Nachfolgen (125). Positiv werden diese Begriffe als Vorherbestimmen, Befehlen und Bewirken Gottes ausgelegt. Mit den Naturgesetzen kommt dies alles nach Barth nicht in Konflikt, da ihre Determination von einer Prädetermination, einer Vorherbestimmung Gottes *umfaßt* wird. Im Rahmen der Offenbarung gibt es dabei durchaus Ereignisse, «die nur als ein Wirken supra et contra naturam» verständlich sein können: «als ein göttliches Formen und Ordnen, dem unsere Ordnungsbegriffe nun eben nicht gewachsen sind. Auch die abschließende Offenbarung des Sohnes Gottes am Ende aller Zeiten wird ein solches Ereignis sein. Es war aber schon die Erschaffung des Himmels und der Erde als Anfang aller Zeiten ein solches Ereignis» (126).

Der Abschnitt «3. Das göttliche Regieren» behandelt Gottes Ordnen der Geschichte auf die Heilsgeschichte hin, der «selbst allein das Ziel ist, das er seinem Geschöpf gesteckt hat» (127). Gott darf nicht mit einem der Weltprinzipien von Schicksal oder Zufall verwechselt werden (128). Er ist weder in den Notwendigkeiten noch in den Außerordentlichkeiten des Weltlaufs eindeutig zu finden resp. nicht zu finden (129). Gott bedient sich seiner. Er tut dies als «König Israels», d.h. der Herr der biblischen Offenbarung ist der

121) III, 3, 86–89 und 99–102.
122) III, 3, 106 und 120–123.
123) III, 3, 132–134.
124) III, 3, 166–170.
125) III, 3, 134 ff. (praecurrit), 149 ff. (concurrit) und 171 ff. (succurrit).
126) III, 3, 146–147, dazu Geiger aaO 693.
127) III, 3, 79.
128) III, 3, 183–186.
129) III, 3, 181–183. 187 ff.

König, der die Welt regiert (130). Damit muß nach Barth nicht zunächst ein höchstes Wesen in seiner Existenz vorausgesetzt werden, von dem man dann aussagen müßte, wie sich seine Weltregierung vollzieht. Die christliche Aussage von der Vorsehung beruht nach Barth nicht auf einem (von ihm als «Postulat» bezeichneten) philosophischen Grundgedanken. Das biblische Zeugnis gründet sich auf den Selbstbeweis der Offenbarung, von dem her dann allein mit christlicher Gewißheit von einer Weltregentschaft Gottes gesprochen werden kann (131).

Mit dieser Grundlegung kommen nun auch in die «vorläufige Verborgenheit der göttlichen Weltregierung» bestimmte Elemente, die so etwas wie «konstante Rätsel» sind und mit der Bundes- und Heilsgeschichte als deren «Zeichen und Zeugen» in besonderem Zusammenhang stehen (132). Es sind dies der Reihe nach die Geschichte der Hl. Schrift, der Kirche, der Juden und die «Begrenzung des menschlichen Lebens». Die drei ersten (133) entsprechen sukzessive der Ausweitung des theologischen Arbeitshorizontes bei Barth selbst. Die Interpretation des vierten Elements unter dem Gesichtspunkt der Analogie führt von der Abspiegelung der Einzigkeit Gottes in der Einmaligkeit jedes Menschen (134) bis hin zur Analogie der göttlichen Weltregierung des Vaters und des Weges des Sohnes Gottes auf Erden, in dem uns die Befreiung von dieser Begrenzung angekündigt wird (135).

Über all diesen sekundären Zeichen stehen die Engel als die primären Zeichen der Gotteswelt. Nach Barth ist der Einbezug der Engel in das Weltbild der Vorsehungslehre geradezu der Prüfstein dafür, ob man wirklich das Zeugnis der Offenbarung gehört habe. Ein Weltbild ohne Engel müßte daraufhin befragt werden, ob es nicht im Grunde ein gottloses Weltbild sei. Abgesehen von dem «Absolutheitsanspruch» dieser Feststellung ist hier interessant, daß nicht nur Bibel, sondern auch geschichtliche Größen offenbar in ihrem «Zeugnischarakter» mit den Engeln in Beziehung gebracht werden. Sollte hier in Barths Theologie plötzlich Raum für eine im Bild der Engel sich meldende religiöse Erfahrung sich auftun? Ist so Angelologie nicht dogmatisch festgehaltener biblizistischer Bestandteil eines offenbarten Bildes der himmlischen Welt, sondern Gestaltung der Begegnung irdischer Begrenztheit mit Erfahrungen, die eben diese Begrenztheit sprengen? Oder

130) III, 3, 200–221.
131) III, 3, 202.
132) III, 3, 225.
133) III, 3, 227f. 231f. 238f.
134) III, 3, 263.
135) III, 3, 267.

sind die Engel als dogmatisches Postulat Barths eben gerade die Grenzwächter, die mit dem feurigen Schwert den Weg zur religiösen Erfahrung verlegen? (136).

Schließlich laufen im 4. Abschnitt «Der Christ unter der Weltherrschaft Gottes des Vaters» alle Linien zusammen. Erst hier wird Gottes Vorsehung im Grunde genommen Wirklichkeit (137). Glaube, Gehorsam und Gebet sind die der Vorsehung entsprechenden christlichen Verhaltensweisen. Sie bilden eine lebendige Einheit und in ihrer Durchdringung eine Art Gleichnis (nicht: Analogie!) der Durchdringung der göttlichen Seinsweisen in der Trinität (138). Der Christ nimmt damit Anteil an Gottes Vorsehungswirken (139). Er sieht damit die ganze Verwirrung des Weltgeschehens zwar «tatsächlich verhüllt», aber in Gott schon ohne Hülle (140). Das «(jetzt) *schon*» wird damit, von Barth in aller Deutlichkeit unterstrichen, zur alleinigen Bestimmung der christlichen Existenz. Er ist in Christus an Gottes Seite, wenn er auch als Christ tief unter Gottes Weltherrschaft steht. Das Weltgeschehen ist aber für ihn allein «ein der ewigen Herrlichkeit entgegenführendes Geschehen» (141). Von solchen Stellen her fragt es sich nun allerdings, ob wirklich noch ein Unterschied zu der von Barth als Gegenpol verstandenen «Alleinheitslehre» Schleiermachers (142) besteht. Wenn man, wie in unserer Darstellung, Schleiermachers Theologie als im Glauben an Christus begründete philosophisch-eschatologische Gesamtschau von Gottes Weltregiment zu verstehen sucht, so gilt diese Definition ebenso für Barths Vorsehungslehre.

136) III, 3, 268–271.
137) III, 3, 326.
138) III, 3, 279.
139) III, 3, 289–295. 322. 324.
140) III, 3, 308.
141) III, 3, 324–325.
142) III, 3, 132.
Die Frage muß an dieser Stelle aufgeworfen werden, ob Barths Vorsehungslehre ähnlich verstanden werden muß wie dies Schmid, 174–180, von der Prädestinationslehre Barths erklärt: daß sie nicht als Philosophie, Metaphysik oder Gnosis für sich steht und Gottes Geheimnis metaphysisch festlegt, sondern eben auch ihre Aussagen nur möglich sind «nicht abstrahiert von dem lebendigen Vollzug und Gefälle des Bundes, von dem Weg, den ihm folgend die Verkündigungsgeschichte zwischen Erinnerung und Verheißung mitgeht» (aaO 176). Wenn wir dies bei Barths Erwählungslehre für zutreffend und möglich halten, so doch nicht mehr bei der Vorsehungslehre von III, 3. Barth unterscheidet dort zwischen Vorsehungsglaube und Vorsehungslehre, gibt aber für beides eine dogmatische Schilderung ohne eine hermeneutische Differenzierung oder einen Hinweis auf das Problem von Verkündigung und Dogmatik. Daß diese Grenze nach

b) Die biblische Begründung der Vorsehungslehre von KD III,3

Wir wollen hier nicht eine Einzelanalyse der von Barth herangezogenen biblischen Aussagen geben. Wir möchten vielmehr grundsätzlich darstellen, wie sich biblische Aussagen und systematisch-theologische Prinzipien gerade in diesem Band der KD durchdringen. Das biblische Zeugnis erhält dabei eine dreifache Funktion. Zunächst ist die Vorsehungslehre völlig dem gesamtbiblischen Auslegungsprinzip der in Jesus Christus offenbarten Gnadenwahl Gottes untergeordnet. «Eben dieser innere Grund der Bundesgeschichte ist ja auch der innere Grund des Kreaturgeschehens. ... Je indem das Reich Jesu Christi den Menschen offenbar wird, wird auch das Walten der göttlichen Vorsehung ... offenbar. Es geht also immer um ein Erkennen von innen nach außen, vom Kreuz und von der Auferstehung Jesu her hinaus in alles sonstige Geschehen» (143). Diese materiale Definition ist nach Barth die erste Grundlage einer biblischen Vorsehungslehre (144). Den theologischen Zusammenhang zwischen Christusglauben und Vorsehungsglauben sieht er bei den Reformatoren in unterschiedlichem Maß erkannt, aber nicht genug deutlich gemacht und in der altprotestantischen Orthodoxie vollends untergegangen (145). Die in dieser Hinsicht positiven Erkenntnisse der Reformatoren sieht Barth vorbildlich im Heidelberger Katechismus ausgesagt (146).

Dennoch baut Barth seine Vorsehungslehre nicht anhand eines solchen positiven Vorbildes auf, sondern anhand des formalen Schemas der Orthodoxie, dem er sich in «durchgehender Korrektur», aber doch vertrauensvoller als vorausgesehen, anschließt (147). Es eignet sich offenbar zunächst

Schmids eigenem Urteil in KD II,2 und u.E. erst recht in III,3 immer wieder verschwindet, ist ein Grundproblem der Vorsehungslehre Barths in ihrem Umgang mit der Erfahrungswirklichkeit – um nicht zu sagen Umgehen der Erfahrungswirklichkeit. Auch Schmid stellt bei einem kurzen Hinweis auf KD III,3 (aaO 191, Anm. 49) unfreiwillig fest, daß Barths Vorsehungslehre auf Kategorien der Entsprechung des Christen zu Gottes Handeln, nicht aber der Verheißung eines Neuen hinauszielt. Man muß sich fragen, ob hier von Barths Denkresultaten her ein Entweder-Oder für die Theologie insgesamt abzuleiten ist: Verheißung oder Analogie, Bild oder Spiegelbild, Wort oder Wesen als Wirklichkeit Gottes?

Oder gibt es ein dialektisches Verhältnis beider Größen, wie im Abschnitt «Vorsehung und Philosophie» anvisiert? Bei Barth wird dies jedenfalls nicht ausgearbeitet (vgl. im Text Abschnitt 2b) über Barth.

143) III,3,63.

144) III,3,39–40.

145) III,3,34–41.

146) III,3,15.18.35.

147) III,3, VI, vgl. Geiger aaO 674.

einmal zur Darstellung des Verhältnisses Schöpfer–Geschöpf (§ 49), d.h. zu der Ausführung der im Voraus auch für Barth feststehenden Zuordnung der Vorsehung zur Lehre von der Schöpfung. Weiter wird ihre Dreiteilung nach Barth durch die Aussage Röm. 11, 36 «Aus ihm und durch ihn und zu ihm hin sind alle Dinge» gestützt (148). Damit ist aber auch die Verbindung von Vorsehung und Geschichte des Gnadenbundes Gottes noch einmal unterstrichen, die nun an jedem dieser orthodoxen Formalbegriffe durchgeührt wird.

Als drittes Element finden wir die – im Vergleich zu andern Bänden der KD auffällig kurzen – Abschnitte mit biblischen Einzelaussagen, die meist zur Konkretisierung der Durchdringung des vorhin angeführten biblischen Material- und Formalprinzips dienen. Sie erhalten also keine tragende Bedeutung für die Gestalt der Vorsehungslehre, die durch die grundsätzliche systematische Orientierung vorgegeben ist. Hat man Calvin auf die Formel «biblische Füllung philosophischer Begriffe» bringen wollen, so könnte man Barth ebenso auf die Formel «biblische Füllung dogmatischer Begriffe» bringen. Damit zeigt sich auch ein zweiter Grund für die Verwendung der im Grunde sachlich falschen orthodoxen Vorsehungslehre. Sie liefert Barth sozusagen den notwendigen «Gegen-Text», den feindlichen Nachbarn auf dem gleichen Boden, mit dem er sich nun auseinander- und zusammensetzen kann. Vorsehungslehre bedarf offenbar der Front des Gesprächs, auch wenn es dann eben ein innertheologisches Gespräch ist.

Barth gelingen dabei wesentliche biblisch-christologische Konkretionen. In § 48 sind es die Darstellung des stets gegenwärtigen Wirkens Gottes (149) zum Begriff der göttlichen Vorsehung, die Erkenntnis christlichen Vorsehungsglaubens als Offenbarung Gottes (150) und die Ausübung der Weltregierung Gottes durch Christus als seine Rechte (151). Das göttliche Erhalten wird biblisch in den Aussagen über die Allherrschaft Gottes (152), die Bewahrung des Geschöpfs im AT (153) und speziell die Verheißungen an die Christen im NT begründet (154). Gottes Begleiten wird durch Aussagen

148) Zu den drei Teilen der Vorsehungslehre je III, 3, 68/107/178. Wenn man die Aussage des Paulus allerdings in ihrem vollen Gewicht nimmt, ist sie nicht eine letzte Absicherung, sondern eine erstrangige Begründung einer Vorsehungslehre als Verheißung. Dies gilt als Grundtendenz und -kritik für alle im folgenden von Barth in seine Vorsehungslehre «eingebauten» Einzelzitate.

149) III, 3, 9 (und 62).

150) III, 3, 27 (und 61).

151) III, 3, 35. 40. 45–47. 49.

152) III, 3, 68–69.

153) III, 3, 85.

154) III, 3, 94–95.

über sein Wirken (155) speziell durch sein Wort (156) konkretisiert. Gottes Regieren wird biblisch mit den Aussagen über Jahve als Herrn des biblischen Bundes und der Welt (157) begründet.

Dennoch liegt u.E. das Hauptgewicht in der Vorsehungslehre auf dem konsequenten Ausziehen der systematischen Hauptlinien von KD I–III und deren Zuspitzung auf die Existenz des Christen hin. Die Vorsehungslehre bekommt bei Barth nicht eine eigenständige biblische Begründung; sie hat sie im Grunde genommen auch nicht nötig. Die Methode der Anknüpfung an die Formalbegriffe der Orthodoxie erlaubt Barth darüber hinaus, zwei wesentliche Probleme der Vorsehungslehre auszuschließen: die Frage nach der Verheißung an den Kosmos und die Frage des Leidens unter dem konkreten Übel. Seine gelegentlichen Ansätze in dieser Richtung prägen die Vorsehungslehre nicht und können es in deren vorliegender Form auch gar nicht (158). Die verwendeten biblischen Aussagen zeichnen alle ein positives Bild vom Verhältnis Schöpfer–Geschöpf. Alle die biblischen Aussagen über das Angefochtensein, von Hiob und den Klagepsalmen bis hin zum Seufzen der Welt nach Erlösung und den Schreien der Märtyrer haben hier keinen Platz. Ebenso fehlt eine Auslegung des Unser Vater. Erst von dem überge-

155) III, 3, 107.

156) III, 3, 135 (Joh. 5, 17), 39–41 und 162–163.

157) III, 3, 20 und 175–176.

158) Auch wenn Barth von der Verborgenheit Gottes spricht, geht es ihm nicht darum, Gottes Verheißung darauf zu beziehen, sondern eben doch Spuren seines Weltregiments zu erkennen (III, 3, 22–224).

Betr. die Schlußfolgerungen stehen wir im Gegensatz zu der reichhaltigen und in der inhaltlichen Darstellung an sich zutreffenden Studie von M. Geiger (aaO 706–707). U.E. lebt Barths Vorsehungslehre in KD III, 3 mehr von der Dialektik der dogmatischen Traditionen zum Aufriß von KD I–III als von einem «beziehungsreichen Aufweisen biblischer Zusammenhänge», die nicht in ihrer eigenen Ausrichtung zum Tragen kommen. Mit dem Herausstellen des Schöpfungsverständnisses bei Calvin als «theatrum gloriae Dei» hat Barth nur eine Linie bei Calvin aufgenommen und – allerdings – christologisch begründet (KD III, 3, 55 und IV, 3, 796). Bei Calvin ist jedoch die Begründung der Vorsehung Gottes in Gottes Wort und Werk (Inst. I, 5, 6ff.) weiter gefaßt als in einer christologisch-analogischen Begründung (vgl. etwa die grundsätzliche Zustimmung zum stoischen Satz «naturam esse Deum» OS III, 50, 24/Inst. I, 5, 5). Damit wahrt Calvin u.E. das Geheimnis Gottes und des Geschöpflichen effektiver als Barth, für den dies Geiger in Anspruch nimmt (aaO 706). Denn bei Calvin geschieht Vorsehung nicht nur von der Erwählung her als Bewahrung zur Erlösung, sondern als Verheißung und Erfüllung im Durchleben und -leiden der Existenz des Christen. Man stelle zur Konkretion beider Standpunkte gegenüber: Barths Thesen zum Gebet, das davon ausgeht, daß in Jesus Christus alle Bedürfnisse schon gestillt sind (III, 3, 307–309, vgl. das zum Heidelberger Kat. Gesagte) und Calvins Aussagen über das Gebet Inst. III, 20, 1–3 und 38ff.

ordneten Blickpunkt des Himmelreiches her (§ 51) und in der Lehre von der Versöhnung kann dann einiges davon Platz finden. Hier aber bietet sich das Bild eines in sich heilsontologisch abgeschirmten Systems.

Letztlich liegt dies daran, daß nicht Kategorien der Philosophie oder Bilder der Erfahrung zum Gesprächspartner des Zeugnisses von Gottes Treue gegenüber seinem Geschöpf werden, sondern entweder als unchristlich grundsätzlich abgewiesen werden oder als christlich nur im Schatten vorliegender dogmatischer Sachverhalte Aufnahme finden können.

So ist auch der Begriff der Vorsehung selbst bei Barth eine unbesehene Voraussetzung der Dogmatik und wird mit einer ausführlichen theologiegeschichtlichen Begründung ohne grundsätzliche Bedenken rezipiert. Er wird aber nicht, etwa von dem biblischen «Ich-bin» (159) Gottes her, als ein fragwürdiges Philosophoumenon in Frage gestellt, das in seinem mythisch-chifferhaften Charakter (160) sich aller biblisch-christologischen Verwendung entziehen und entweder zu einem totalitären Gottesbild oder zu einem deistischen Abstraktum entarten kann. Schleiermacher hatte den Begriff gerade deswegen ausgeschaltet. Calvin hatte ihn in vollem Bewußtsein der damit verbundenen Gefahren aufgenommen, da er für ihn ein aktueller philosophischer und erfahrungsmäßiger Gesprächspartner der Theologie war. Das galt für Barth noch in etwa für die Äußerungen der zweiten Phase. In KD III, 3 wird «Vorsehung» zu einem traditionellen theologischen Oberbegriff ohne aktuellen Bezug. Er wirkt deshalb oft wie ein Minusvorzeichen aller positiven Aussagen über die Herrschaft Gottes in Jesus Christus. Die bei Barth angelegte Möglichkeit, Vorsehung als Verheißung zu verstehen, wird wie erdrückt von der kausativ-theistischen Tradition des vorgeordneten Vorsehungsbegriffs und des ihm gegenübergestellten Begriffs des Nichtigen. Als ein mythisch-philosophischer, gleichzeitig in Kraft und außer Kraft gesetzter Dualismus zerstört er gerade das, was Barths eigene Intention wäre: die Freiheit des Geschöpfs unter seinem Schöpfer auszusagen (161).

Die Eigenständigkeit des Subjekts kommt für diese Theologie nicht in Frage, es gewinnt sein Subjekt-Sein nur aus dem Subjekt-Sein Gottes (162). Und in diesem von Gott gestifteten Subjekt-Sein ist für das Subjekt des Men-

159) III, 3, 200–207. Der Begriff «fragwürdiges Philosophoumenon» wird bei Barth für die Vorsehungslehre des 17./18. Jh in III, 3, 131 verwendet.

160) Die Terminologie stammt von K. Jaspers. Zu den Problemen der Vorsehung nach Jaspers s. dessen Werk: Der philosophische Glaube angesichts der Offenbarung, München 1962, v. a. 358–373.

161) III, 3, 102 ff.

162) III, 3, 116. Dies ist das notwendige Ergebnis der Verbindung von Kausalbegriff, Analogie und Autoousie Gottes.

schen schon alles getan und geklärt und nichts Eigenständiges mehr übriggelassen, auch nicht in Fragen der Vorsehung. Aus der Stückwerk-Erkenntnis von 1. Kor. 13 wird eine gleichnishafte Analogie von Welt- und Heilsgeschehen (163). Die Verborgenheit Gottes als Problem des Glaubens existiert im Grunde nicht mehr. Als Rätsel und Anfechtung kommt sie nicht in Betracht. Die Verborgenheit ist in dieser Theologie kein Ort Gottes, sondern ein dogmatisch geklärtes und entschärftes Geheimnis (164). Damit wird die Vorsehungslehre aber einerseits zur totalen Inbesitznahme des Menschen als christlichem Subjekt aufgrund des Aprioris der Offenbarung und anderseits zur Abweisung allen Offenlassens des Denkens der Erfahrung.

5. Neue Ansätze der Vorsehungslehre in KD IV (Versöhnungslehre)

Wir betrachten zunächst eine Passage aus Barths Hiobdeutung in KD IV, 3. Barth geht aus von dem leidenden Jesus Christus als Rätselgestalt der Gegenwart Gottes in der Welt (165). Daran schließt sich eine Darstellung Hiobs als des an Gott leidenden Gerechten. Dessen zugespitzteste Form liegt nach Barth darin, daß Hiobs «eigentliches Leid» bestehe «in dem Zusammentreffen seines tiefen Wissens darum, daß er es in dem, was ihm widerfahren ist und aufliegt, mit Gott zu tun hat – mit seinem ebenso tiefen Nicht-Wissen darum, inwiefern er es darin mit Gott zu tun hat» (166). Hiobs Klage richtet sich «im Namen Gottes gegen Gott, nämlich gegen die Fremdgestalt, in der ihm Gott begegnet», mit deren Vollzug er sich freilich «zugleich ins Recht und ins Unrecht setzte» (167). Denn der deus absconditus, als welcher Gott dem Hiob in seinem Leiden entgegentritt, ist derselbe, der Hiob als deus revelatus seine souveräne Güte am Spiegelbild des Kosmos zeigt (168).

163) III, 3, 57 zu 1. Kor. 13, 12.

164) III, 3, 163. Nach Barth müßte gefragt werden, ob das Reden von der väterlichen Vorsehung nicht «eine Sentimentalität ohne Wahrheitssubstanz sei» (aaO 162), wenn es nicht eben ein Wirken in Wort und Geist ist. Wir fragen hingegen nach den Folgen, die für die Lehre von der Vorsehung entstehen, wenn dies dann auf das Wirken Gottes im Gnadenbund bezogen und schlicht als «in seiner Unerforschlichkeit offenbar» bezeichnet wird. Pointiert formuliert: Wird Gott in dieser Erforschlichkeit nicht verschlossen?

165) IV, 3, 450–452. 470 ff.

166) IV, 3, 463, vgl. zum Ganzen aaO 459–470.

167) IV, 3, 470.

168) IV, 3, 498.

Die Allmacht Gottes wird dabei als Prädikat ausdrücklich festgehalten. Gott wurde Hiob zwar in seinem Allmachtswirken unkenntlich, Gott wurde sich damit aber nicht fremd. Aber dies zu erkennen, liegt an Hiob. Seine Bewährung lag darin, den Gott Jahve, der ihn erwählt hat, mit dem Gott des Allmachtswirkens zusammen als den einen Gott zu erkennen (169).

Wir sehen hier zum erstenmal wieder bei Barth – ohne auf die Frage der christologischen Abstützung der Hiob-Deutung näher einzugehen (170) – das Problem der Rätselhaftigkeit des Zusammenhangs des Gottes der Erwählung und des Gottes der Weltherrschaft als Problem des Glaubens anerkannt. Damit ist u. E. der Frage nach der Vorsehung Gottes neu ihre eigene Bedeutung als Form der Offenbarung und des Glaubens – neben der Erwählung und Christologie und nicht nur ihr beigeordnet – gegeben. Wenn auch von Barth als Bewährung des Glaubens an den erwählenden Gott verstanden, wird sie doch gerade darin zur Existenzform des Glaubens neben der Existenzform des Bewahrtseins. Und wenn Barth erklärt, Hiob habe in seiner Klage an Gott festgehalten und Gott ihn eben darin gerechtfertigt (171), so gewinnen hier Freiheit Gottes und Freiheit des Menschen eine neue Dimension, und das Hiob-Buch wird zum Träger einer Verheißung, die den Aufstand des Menschen gegen den Gott der Allmacht umfaßt und die Freiheit zu beidem mit der Erlösung von beidem zusammen verheißt.

Der wichtigste Abschnitt, in dem Barth ausdrücklich auf die Vorsehungslehre Bezug nimmt und sie in einem neuen Zusammenhang darstellt, findet sich dann in § 72 «Der Heilige Geist und die Sendung der christlichen Gemeinde» unter dem Titel «1. Das Volk Gottes im Weltgeschehen» (172). In

169) IV, 3, 493.

170) Barth nimmt hier die Ausführungen aus KD IV, 2, 286–293 wieder auf, wo er Christus als den durch Gottes Verordnung Leidenden darstellt, der dies bereitwillig als Inhalt seiner Selbstbestimmung auf sich nimmt. Daran anschließend steht auch das Leben der Jünger unter dem Zeichen des Kreuzes. Dabei wird das «Christi eigen» des Heidelberger Katechismus nun von der Nachfolge und nicht mehr von der «objektiven Bewahrtheit» her interpretiert.

171) U. Hedinger, Chinnam oder die Infragestellung Hiobs, in: Parrhesia, 192–212, sagt über Barth hinausgehend, aber sachlich sicher richtig, daß Hiobs Ringen nicht sein Unrecht, sondern seinen Glauben ausgemacht habe (gegen KD IV, 3, 92) und erklärt ebenfalls im Gegensatz zu Barth den Kampf Hiobs nicht etwa für den Christen als überholt: «Das Kreuzesereignis erledigt die Theomachie nicht, wenn anders Glaube und Hoffnung sich auf die konkret und in *Macht* verheißene Liebe Gottes beziehen. Während Hiob unter dem bloßen Machterweis Gottes litt, erfüllt die von der todeserlösenden Macht noch entblößte und so bloße Macht noch zulassende Liebeszusage Gottes den Christenmenschen mit Vertrauen und *Schmerz*» (aaO 207).

172) IV, 3, 780–871.

KD III,3 dominierte der Gesichtspunkt des Wirkens des himmlischen Vaters als des Begründers des Gnadenbundes in Jesus Christus. Hier soll nun ausdrücklich von der Notwendigkeit ausgegangen werden, «den ersten Artikel des Glaubensbekenntnisses im Lichte des zweiten zu verstehen, an dessen Ende von jener sessio Filii ad dexteram Patris omnipotentis die Rede ist» (173). Hier wird Röm. 11,36 nun so verstanden wie schon im Glaubensschritt Hiobs geschildert, aber auf die Gemeinde angewendet: daß sie glauben kann, der Gott Jesu Christi werde kein anderer sein als der Gott des Weltgeschehens, daß «sein» Gott also auch dort das Szepter führt (174). Barth betont den erfahrenen Gegensatz, daß dieser Glaube im Widerspruch steht zu der Tatsache einer «erstaunlich andere(n) Geschichte, die da draußen geschieht: anders in ihrer *Lichtlosigkeit* hinsichtlich der für die ganze Welt, für alle Menschen geschehenen Versöhnung und Verbündung zwischen Gott und Mensch und darum auch anders wegen der *Verborgenheit* ihres eigenen Grundes, Sinnes und Zieles» (175). Aber «draußen» heißt nun offenbar nicht mehr, daß die Gemeinde nicht genau so darunter litte wie die Nicht-Glaubenden. Man darf Barth hier wohl so interpretieren: So wenig die Weltgeschichte einfach als Profangeschichte als schlechthin heillos anzusehen wäre, sowenig ist die Heilsgeschichte frei von der Lichtlosigkeit und Verborgenheit der Weltgeschichte.

Die Zusammengehörigkeit von Gemeinde und Welt wird nun nach dem Alten Testament im Verhältnis der Herrschaft Gottes über sein erwähltes Volk resp. über alle Völker und in der untrennbaren Beziehung beider Größen in der Welt dargestellt. Das erwählte Volk hat in der Welt eine Sendung an die Welt, nämlich den Auftrag zur Verkündigung ihrer Berufung im Ganzen zum Heil aller Kreatur. So wird das Ziel der Wege Gottes das eindeutige Gotteslob aller in die Zweideutigkeit der Geschichte Verstrickten (176). Diese eschatologische Sicht der Vorsehung paßt nun aber zu Barths Erwählungslehre, wonach Gott in der Dialektik von Erwählung und Verwerfung in der Bibel bis zu Christus hin zeigt, daß in ihm alle erwählt sind und die Verwerfung aller aufgehoben ist.

So wird hier die Sicht des Weltgeschehens als dei providentia et confusione hominum wieder möglich (177). In Barths Schilderung ist es ohne fe-

173) IV,3,788.

174) IV,3,785–786.

175) IV,3,787.

176) IV,3,788–792. Betr. des analogen Verständnisses der christlichen Gemeinde vgl. IV,3,831–859.

177) IV,3,793. Der Ausdruck fehlt u.W. in III,3!

sten Punkt, ohne ein eindeutiges Ziel, ein Meer von Torheit und Bosheit, von Betrug und Unrecht, von Blut und Tränen. Trotz dieser eindeutigen Benennung des Bösen kommt es darüber zu keinem «schlechthinnige(n) Verwerfungsurteil» (178). Barth kann es als Verwirrung bestehen lassen und muß nicht in das Weiß und Schwarz der Gnade und des Nichtigen trennen, weil hier die Gegenpole andere sind: der Verwirrung ist das Reich Gottes, die der Welt zugewandte Gnade Gottes, als Verheißung gegenübergestellt! (179). Das Zusammenspiel von Mensch und Kosmos wird zur eschatologischen Verheißung, die in jedem Augenblick eigentlich schon sein könnte (180). Die in dieser eschatologischen Sicht immer noch eingebaute Lehre von Schöpfung und Nichtigem scheint uns dabei ihre scharfen Grenzziehungen zu verlieren und sich im Grunde auch als eines jener selbstkonstruierten Weltbilder zu entlarven, vor denen Barth nun selbst im Blick auf seine eigene Formel dei providentia et confusione hominum warnt (181) und denen er vorwirft, daß sie danach trachteten, «den Gegensatz und Widerspruch als Einheit in Blick und Griff zu bekommen» (182). Auch in bezug auf seine eigene Lehre von den konstanten Elementen des Weltgeschehens als Zeichen von Gottes Vorsehung ist Barth zurückhaltender geworden. Er nennt sie noch «Indizien» der neuen Wirklichkeit des Reiches Gottes und läßt die Möglichkeit ganz anderer als der genannten offen. Zugleich aber warnt er im Blick auf solche vermeintlichen Ahnungen – kritisch auch im Blick auf positivistische Auffassungen seiner eigenen Theologie? – vor einer Neuauflage christlicher Geschichtsphilosophie. Sprach er in III, 3 vor allem von der feststehenden Tatsache der souveränen Güte Gottes, so betont er nun, daß Jesus Christus als Ereignis und nicht als ein «biblisch-christlicher Titel der Gnade» die «Zurechtbringung» der Weltgeschichte verbürge, und zwar als schon aufgerichtete Herrschaft Gottes und als Kommen des Reiches Gottes (183). Dieses noch ausstehende Offenbarwerden ist die Hoffnung der Gemeinde und der Welt. Die Gemeinde ist also in dieser Beziehung – und damit in Beziehung auf die Vorsehung – der Welt gleichgestellt, für die sie erwählt ist. Der Seufzer «Komm, Schöpfer Geist», den Barth einst 1922 als Wesen seiner Theologie und als «hoffnungsvoller als triumphieren» bezeichnet hat, wird unter diesem Gesichtspunkt zur einzigen Möglichkeit

178) IV, 3, 794–795.
179) IV, 3, 808. 815.
180) IV, 3, 799.
181) IV, 3, 809.
182) IV, 3, 807–808.
183) IV, 3, 818, vgl. 814f.

der Gemeinde.» «... wie könnte sie also die Herrlichkeit Gottes und Jesu Christi als ihre eigene offenbaren? Zu ihm in diesem ersten Prädikat seines Seins kann sie nur aus ihrer ganzen Tiefe inmitten des Weltgeschehens emporblicken, so wie eben der Mensch auf der Erde seine Augen zum Himmel erhebt: also bittend und flehend um seinen Geist aus der Höhe: *Veni,* creator Spiritus!, um das Kommen, das Offenbarwerden seines Reiches» (184).

Man kann sich abschließend fragen, ob es nötig und sinnvoll ist, diese Ausführungen zur Vorsehungslehre als eigene Stufe in Barths Denken zu betrachten, anstatt sie als notwendige Ergänzung einer zweigeteilten Vorsehungslehre unter dem Aspekt der Schöpfung resp. Versöhnung zum vornherein aufeinander zu beziehen. Das Problem der Plazierung der Vorsehungslehre stellt sich ja jeder in ihrem Aufbau ganz oder teilweise dem Credo folgenden Dogmatik. Calvin versuchte, alle Artikel des Credo effektiv trinitarisch zu behandeln. Schleiermacher ordnete das Weltregiment Gottes dem II. Teil der Glaubenslehre – effektiv dem III. Artikel – zu. Tillich kennt wie Barth eine doppelte Behandlung der Vorsehungslehre unter Teil I und III seiner Systematischen Theologie (185). Es müßte also bei Barth nicht unbedingt eine inhaltliche Neugestaltung Anlaß zur Wiederaufnahme der Vorsehungslehre gewesen sein. U.E. müßte aber mindestens daran festgehalten werden, daß Barth sie einer durchgehenden Korrektur unterzogen hat, so wie seinerzeit die altprotestantischen Kategorien in der Darstellung in KD III, 3. Barth spricht nicht mehr von Welt und Geschichte als äußerm Rahmen des Gnadenbundes, er spricht von der der Welt zugewandten Gnade Gottes. Er kennt und anerkennt wieder wie einst im 2. Römerbriefkommentar eine eschatologische Verborgenheit und Diastase Gottes zum Menschen. Er erklärt ausdrücklich zur Weltgeschichte: «außer in dem einen Bild Jesu Christi, ist die neue Wirklichkeit der Geschichte nicht nur der übrigen Menschheit, sondern auch ihm (sc. dem Volk Gottes) verborgen» (186). Mit dem von Barth geprägten Analogiedenken ist dies kaum mehr in Ein-

184) Vortr I, 123 und KD IV, 3, 865.

185) aaO Band I, 301–311 und Band III, 423–425 sowie den folgenden Teil C: Reich Gottes und Weltgeschichte.

186) IV, 3, 825.
Zu den Grundlinien der Eschatologie Barths in der gesamten KD vgl. Sauter 124–128. Seine Kritik des Eschaton bei Barth als Apokalypsis der verhüllten eigentlichen Wirklichkeit der Geschichte trifft sich mit der von uns für die Vorsehungslehre festgestellten Hauptlinie. Allerdings meinen wir in IV, 3 auch das Wirken eines neuen Elementes aufzufinden, das der «Systematik definitorisch geschlossener Welt» (aaO 128) entgegenstrebt und haben deshalb noch von einer hier sich abzeichnenden neuen, vierten Phase gesprochen.

klang zu bringen, auch nicht als dialektische Entgegensetzung zweier Betrachtungsweisen. Wir haben deshalb gerade am Begriff der Grenze die Ausgliederung verschiedener Phasen bei Barth bis hin zur Neuansetzung in KD IV darzustellen versucht.

Dazu paßt schließlich – ebenfalls in Wiederaufnahme von Ansätzen der frühen 20er Jahre (187) –, wie die Bildhaftigkeit biblischen Zeugnisses zum eigenständigen Anstoß systematischer Konzeptionen wird. Man könnte geradezu formulieren: Aus dem biblischen Zeugnis wird ein Zeignis. In KD IV, 3 gilt dies in Teilband 1 für Hiob, in Teilband 2 für die neutestamentlichen Aussagen zur Gemeinde. Auf dogmengeschichtliche Ausführungen, die noch in III, 3 das Hauptgewicht trugen, wird dafür fast vollständig verzichtet. So ist die Vorsehungslehre von KD IV, 3 schließlich auch in weit höherem Maße «biblische» Theologie. Sie ist es nicht nur in ihrer Anlage von der Bildhaftigkeit biblischen Zeugnisses her. Sie ist es auch darin, weil sie weniger abschließend die Probleme christlichen Vorsehungsglaubens «löst», sondern sie in den eschatologischen Horizont ihrer wirklichen Rätselhaftigkeit und verheißenen Erlösung stellt.

187) Vortr I, 52.60 zur Situation des Christen, ebda. 55–58 zur Bildhaftigkeit der Bibel und ebda. 178 zur Definition von Schrifttheologie als «Zeugen von ihrem Zeugnis sein».

Teil IV

VORSEHUNGSLEHRE UND ATHEISMUS BEI D. SOELLE

1. Einleitung

Bei D. Sölle gibt es keine positive Aufnahme der Lehre von der Vorsehung Gottes. Die Auseinandersetzung mit ihrem theologischen Werk im Rahmen einer Studie über «Vorsehung» bedarf deshalb einer einleitenden Begründung. U.E. ist die Ablehnung des Theismus bei D. Sölle grundsätzlich die Ablehnung einer bestimmten Rolle Gottes, nämlich eben des in der Lehre von der Vorsehung vertretenen Gottesverständnisses. Dies ist unsere grundlegende Interpretationsthese.

Wie sehr das theologische Bemühen D. Sölles gerade an dieser Problematik orientiert ist, zeigt sich schon darin, daß in ihren Publikationen immer wieder diejenigen Themen angesprochen werden, die in der traditionellen Theologie im Zusammenhang mit der Vorsehung behandelt werden, wie Gebet, Theodizee, Vatergott, Leiden, Weltverhältnis und religiöse Erfahrung. Es ist in diesem Zusammenhang durchaus als sachgemäß anzusehen, wenn von D. Sölle allgemein der Satz bekannt geworden ist: «Ich weiß nicht, wie man nach Auschwitz noch den Gott loben kann, der alles so herrlich regieret.»

Atheistische Theologie ist darum bei D. Sölle nicht ein sinnloser Widerspruch, sondern als Anti-Theismus das Nach-Denken eines von ihr als notwendig betrachteten christlichen Entwicklungsprozesses. In ihm verbinden sich heutige erlebte und bedachte Erfahrung der Existenz und leidenschaftliches theologisches Bemühen zu einer als christlich verstandenen Ablehnung des Theismus, nicht als Voraussetzung einer «Theologie», sondern als Theologie der Auflehnung. Man hat D. Sölle oft eine grundsätzliche Unklarheit vorgeworfen: Bei ihr verbinde sich ein Reden vom Tode Gottes mit einem durchgängigen Reden von Gott. Sie entfalte so eine ethisch-atheistische Weltanschauung «vor dem Hintergrund einer Karikatur des traditionellen Gottesverständnisses» (1). Diese scheinbar auseinanderfallenden Elemente

1) So S. Daecke in: Der Mythos vom Tode Gottes, Stundenbücher Bd. 87, Hamburg 1969, 73–74.

Differenzierter und mit Wertung der positiven Intention D. Sölles H. Gollwitzer in: Von der Stellvertretung Gottes ... Zum Gespräch mit Dorothee Sölle, München 1967, v.a. 10–12 und 21.

greifen aber sofort ineinander, wenn man in ihnen das Problem markiert sieht, das u.E. dabei verhandelt wird, nämlich das Problem des Überholens der Lehre von der Vorsehung Gottes. Es gilt darum zunächst möglichst vorurteilslos zur Kenntnis zu nehmen, wie D. Sölle von den ihr, d.h. ihrer und unserer Zeit, wenn auch nicht jedem persönlich in gleicher Weise, zuteil gewordenen Erfahrungen her Anklage gegen einen Gott der Vorsehung erhebt und alle traditionellen Vorstellungen als Hindernis zum christlich-humanen Leben entlarven will.

Wir stellen dies zunächst aufgrund der theologischen Werke D. Sölles bis und mit 1971 dar (2). In den beiden späteren Büchern «Leiden» und «Die Hinreise» modifiziert sich dann ihre Position in bezug auf die zugrunde gelegten Erfahrungen, der grundlegende existenziell-theologische Impetus aber verläuft u.E. durchgehend in derselben Richtung des Anti-Theismus als christlichem Humanismus.

2. Erfahrung und Anti-Theismus

a) Stellvertretung Gottes

In D. Sölles Werk «Stellvertretung» verbinden sich andauernd biblisch-theologische und geistesgeschichtliche Aussagen zur Ablehnung eines providentiellen Gottesverständnisses. Die biblisch-theologische Begründung hat als Kern eine Christologie, die v.a. von Bonhoeffer, Bultmann und Gogarten geprägt ist (3). Danach ist «Gott selbst ... in Christus aus der Unmittelbarkeit des Himmels fortgegangen, ... für immer. Er hat sich vermittelt, ist

Von radikal-atheistischer Seite wird D. Sölle ebenfalls der Vorwurf des Stehenbleibens auf halbem Weg gemacht, so indirekt J. Kahl, Das Elend des Christentums oder Plädoyer für eine Humanität ohne Gott, rororo-aktuell 1093, Hamburg 1968, in der Einleitung, und direkt von G. Waldmann, Glaubensgläubiger Atheismus. Überlegungen zur Theologie D. Sölles, in: Internationale Dialogzeitschrift 6, 1973, 360–366.

2) Zu den Abkürzungen bei der Zitierung der Werke D. Sölles s. das Lit.-Verz.

3) Vgl. zu Bonhoeffer v. a. H. Ott, Wirklichkeit und Glaube, I. Zum theologischen Erbe Dietrich Bonhoeffers, Zürich 1966. Zu Bultmann v. a. dessen Aufsatz: Der Gottesgedanke und der moderne Mensch, in: Glauben und Verstehen IV, Tübingen 1965, 113–127.

Zu Gogarten dessen Werke: Verhängnis und Hoffnung der Neuzeit (Stuttgart 1953) Siebenstern Taschenbuch 72, München und Hamburg 1966, und: Was ist Christentum?, Kleine Vandenhoeck-Reihe 35, Göttingen 1956.

Zur Christologie D. Sölles vgl. neben Gollwitzer aaO jetzt auch Ch. Frey, Dogmatik. Studienbücher Theologie: Systematische Theologie, Gütersloh 1977, 125 ff. und Übersicht 9. Vgl. dazu jetzt auch E. Saxer, Zur Nachwirkung und Interpretation der Briefe Dietrich Bonhoeffers aus «Widerstand und Ergebung», Reformatio 6/1979, 28. Jg., 349–362.

aus sich fortgegangen in die Unkenntlichkeit, in die Nichtunterschiedenheit» (4).

Sein Inkognito ist zuerst Christus und dann die Christen oder die «Geringsten unter den Brüdern», die ihn vertreten. Damit wird dogmatisch begründet, daß «eine direkte unmittelbare Hingabe an Gott ... nicht mehr möglich» ist (5). In Verbindung damit wird nun entsprechend die religiöse Erfahrung als etwas nur von früheren Zeiten bezeugtes Verbindliches dargestellt. Die heutige Berufung auf eine lebendige direkte Gegenwart Gottes bleibt – als für das Bild der Jetztzeit irrelevant – «der Privatheit bestimmter religiöser Anlagen und Erfahrungen verhaftet» (6). Hier führt also ein biblisch-theologischer Leitsatz theologisch verbindlich zur Abweisung religiöser Erfahrung – ein letztes Erbe dialektischer Theologie. Gleichzeitig verbindet sich aber damit eine positive Grundlegung eines in Philosophie und Geistesgeschichte zum Ausdruck kommenden Epochenbewußtseins der Gegenwart. Es besteht in der

«Erfahrung vom Ende einer objektiven, allgemeinen, oder auch subjektiven, privaten, jedenfalls aber unmittelbaren Gewißheit. Den Menschen, die im Horizont dieser Erfahrung vom Tode Gottes bleiben, ist das vorgegeben, was Hegel den ‹unendlichen Schmerz› nannte, nämlich ‹das Gefühl, worauf die Religion der neuen Zeit beruht, das Gefühl: Gott selber ist tot» (7).

Konkret zeigt sich dies in der Erfahrung der Ungewißheit, die immer mehr zur Grundstimmung vieler wird und sich weder als naiver Theismus noch als naiver Atheismus weltanschaulich beruhigen läßt (8). Diese «Grunderfahrung des modernen Daseins» formuliert D. Sölle als Geschichtlichkeit, «als das Auf-dem-Spiele-Stehen des Menschen in der Zeit» (9). Der Mensch tritt in die Weltverantwortung ein, die früher Gott zugeschrieben wurde. Er übernimmt ein Stück Providenzhandeln:

«Es ist evident, wie die Gesellschaft mittels ihrer Rationalität und Lebenstechnik im weitesten Sinn des Wortes hervorragende Funktionen des früheren Gottes übernommen hat und wie sie durchaus in der Lage ist, diese einst von Gott getragenen Funktionen zu erfüllen, vermutlich in einigen Berei-

4) St 190.

5) St 173, vgl. St 190ff.

6) St 177, vgl. St 192.

7) St 12.

8) St 11. Daß dies v.a. eine Erfahrung des Westeuropäers ist, wird von D. Sölle gesehen, aber trotzdem für sie globale Gültigkeit beansprucht (St 176/177). Ähnlich spricht von dieser globalen Rolle des Christentums C. Améry in: das Ende der Vorsehung. Die gnadenlosen Folgen des Christentums, Hamburg 1972, v.a. 235ff.

9) St 169.

chen, wie Welterklärung, Krankenheilung, Katastrophenschutz, eher besser als der so oft vergeblich angeflehte Gott von einst» (10).

Die Gesellschaft kann jedoch nicht eine völlige Befriedigung des menschlichen Fragens nach Sinn und Erfüllung anbieten. Zur Übernahme der Verantwortung gehört eine eschatologische Hoffnung. Dies wird wiederum christologisch begründet. Der gekommene Christus darf danach nicht mit dem Reich Gottes in eins gesetzt werden, etwa als schon erfüllte Verheißung Gottes (11). Die «Hoffnung auf den neuen Himmel und die neue Erde» bleibt bestehen (12). Christus ist so «Platzhalter Gottes» (13) und damit «Negation aller gottlosen Verhältnisse» (14). «In Christus hat Gott auch nach seinem Tode, als dem eines unmittelbaren Gegenüber, Zukunft» (15), als der in der Welt Ohnmächtige, zu dem er aus dem Allmächtigen wurde. Christus schärft dieses Ausstehen des Heils ein, als «Nicht-Identität» oder als Mitleiden des Leidens Gottes an der gottlosen Welt (16).

In diesen Christus ist der Christ mit einbezogen. «Denn nicht nur Christus vertritt Gott in der Welt, auch seine Freunde und Brüder vertreten Gott» (17). Das Ziel des Kommens Christi ist der mündige Christ, der im Bild des selbständigen Sohnes, nicht mehr jedoch im Kind-Vater-Bild dargestellt wird (18). Über die paulinischen und johanneischen Formulierungen

10) St 177/178.

11) St 146/147 und 118, vgl. dazu U. Hedinger, Wider die Versöhnung Gottes mit dem Elend. Eine Kritik des christlichen Theismus und A-theismus, Zürich 1972, 60–61, dazu die Rezension von D. Sölle, Gott und das Leiden. Buchbericht, in: WPKG 62/7, 1973, 358–372.

12) St 129.

13) St 201.

14) St 183.

15) St 201.

16) St 200 f. im Anschluß an Gedanken Bonhoeffers.

17) St 184, vgl. auch St 16.

18) St 138/139 und 156, ebenso W 111. D. Sölle nimmt in diesem Zusammenhang einen Ausspruch des USA-Schriftstellers Th. Wilder auf, in dem ebenfalls von einer Epoche des Geistes als der Mündigkeit des Menschen die Rede ist:

«Da Gott Vater war, waren auch alle Menschen Kinder. Aber Gott ist kein König, er ist Geist. Gott ist kein Vater, er ist Geist. Er will uns nicht als Kinder, er will uns als Männer und Frauen ... es eröffnet sich ein neues ungeheures Thema ...: Der Mensch erhobenen Hauptes», St 156/157, nach Th. Wilder, Kultur in einer Demokratie, Stuttgart 1957, 5.

Es sei hier allgemein darauf hingewiesen, daß die Thematik von Th. Wilders Werk ebenfalls durchgängig diejenige der Vorsehung ist und ähnlich, wie wir es für D. Sölle formulieren werden, in den Prozeß «Vom Spiel der Vorsehung zum Vorsehung-Spielen» wohl zutreffend charakterisiert ist. Wir hoffen, zu Wilder bald eine separate kurze Studie zu veröffentlichen.

hinaus geht D. Sölle bis zu dem Satz: «auch wir können nun Gott füreinander spielen» (19). Dieses Einsetzen in die Funktionen der Providenz geschieht allerdings nicht als naives Austauschen von Mensch und Gott, als Ersetzung des Glaubens an die Vorsehung durch den Glauben an den Fortschritt (20). Das Sein-für-andere ist die inhaltliche Bestimmung des Vertretens Gottes und geschieht in leidender Vorläufigkeit, nicht in ideologischem Erfüllungsbewußtsein (21). Deshalb kann vom Leben im Warten gesprochen werden (22). Von daher erhalten schließlich auch Gebet und Theodizeefrage einen neuen Sinn und Ort. Das Gebet bleibt in der Identifikation mit der Welt. Es ruft Gott in diese Welt hinein, in der der Christ tätig ist, aber ohne den Ruf nach einer göttlichen Ersatzleistung für das eigene Handeln. Ebenso wird die Frage nach dem Leiden der Unschuldigen, die als Anklage gegen den Gott der Allmacht «zur Absetzung des theistisch verstandenen Gottes» führt, zur Frage nach dem ausbleibenden Gott. Der unauslöschliche Schmerz begründet eine Hoffnung, die nicht vergessen werden kann und begründet zugleich das Mitleiden der Christen an dieser Welt (23).

Wir haben damit grundsätzlich die ganze Skala der Argumentation D. Sölles kennengelernt. Die Aufsätze, die wir später beiziehen werden, bringen eine Ausarbeitung und Zuspitzung einzelner Punkte. Schon jetzt läßt sich aber folgendes feststellen:

Der Gottesbegriff wird bei D. Sölle selbst vergeschichtlicht. Er ist zugleich in gewisser Weise modalistisch gedacht, jedoch nur unter Betonung und Weglassung bestimmter Aspekte. Alles, was eine Gegenwart Gottes bezeichnen könnte, entfällt. Gott ist zwar als Vatergott endgültig in Christus ausgegangen und Christus wiederum in seine und unsre Brüder und Freunde eingegangen. Diese auf den Spiritualismus hindeutende dritte Stufe wird jedoch nirgends im Werk D. Sölles mit so etwas wie dem Heiligen Geist oder Geist Gottes in Verbindung gebracht. Die Christen haben nicht Gott im Geist, sondern sie vertreten ihn in eschatologischer Erwartung. Dabei wird aber darin bereits die eigentliche Erfüllung ihres Daseins gesehen. Eine materielle Erfüllung als Reich Gottes über- oder innerweltlicher Art ist dabei offenbar eine atheistisch-humanistische, an Christus immer wieder zu gewinnende Sinngebung des Lebens in seiner irdischen Beschränktheit. Zuge-

19) St 192, ebenso R 89.

20) Vgl. dazu Gogarten, Was ist Christentum?, 75, mit Zitaten von Proudhon und Engels zur Illustration und dem Hinweis auf K. Löwith, Weltgeschichte und Heilsgeschehen, Zürich 1953.

21) St 197–199.

22) St 201/189.

23) Zum Gebet St 173–174, zur Theodizeefrage St 203–204, vgl. R 65.

spitzt könnte man von einer autonomen eschatologischen Haltung sprechen. Daneben hat nun bei D. Sölle ein theistisch-providentieller Gott zunächst keinen Raum. Allmacht Gottes, Vater-Kind-Verhältnis, der Gott der himmlischen Heimat, ja auch direkte religiöse Erfahrung sind hier Stichwörter eines überholten Gottes- und Glaubensverständnisses. Ihre gegenseitige negative Ergänzung bildet den Hintergrund zum Gewinn der oben charakterisierten Haltung, die ihrerseits nur an diesem Hintergrund als sinnvoll dargestellt werden kann (24).

Es stellt sich aber die Frage, ob dieser Prozeß der Gewinnung der atheistisch-gläubigen Autonomie nicht selbst wenigstens in der Anlage als ein providentieller Vorgang erscheinen könnte, und damit sozusagen in einem Abschaffung und Gegenstand des Providenzglaubens wäre. Darauf konzentrieren wir unsere Aufmerksamkeit nun in der Analyse der Aufsätze von 1964–1971.

b) Abdankung Gottes

Das Subjekt einer Abdankung ist der zurücktretende Herrscher. Es kann aber auch – nach schweizerischem Sprachgebrauch – ein Verstorbener Objekt einer «Abdankung» werden. Man hält ihm seine Leichenrede mit der auf die Hinterbliebenen gezielten Absicht, ihre Ablösung von dem Verstorbenen und ihre Weiterexistenz ohne ihn ermöglichen zu helfen. Unserer Titelformulierung liegen in bezug auf D. Sölles Verständnis von Gott und Theologie beide Bedeutungen zugrunde.

24) Vgl. dazu St 129 und 197, dazu A 102 und R 125–128. Wir können dennoch nicht so eindeutig wie Gollwitzer aaO 137 formulieren: «dann bleiben als handelnde Personen nur Jesus von Nazareth und die andern Menschen übrig.»
D. Sölle kann zumindest den Begriff der «Inspiration» als Titelformulierung einer künftigen Existenz verwenden. Und die Formulierung vom ausstehenden Gott klingt in gewisser Hinsicht ebenfalls eher dynamisch als Nähe Gottes denn als Erledigung Gottes. Vgl. auch die häufige Berufung D. Sölles auf Müntzer. Zur Frage des christlichen Zeitbewußtseins als Erfüllungszeit ausführlich Gollwitzer, aaO 87–126 mit positiver Aufnahme des Sölleschen Gedankens vom Streit zwischen Erfahrung und Glauben (St 180) als Widerstreit von Erfahrung und Verheißung.

Betr. den von uns gebrauchten Ausdruck «Modalismus» und die damit verbundene Ablehnung der Providenz in traditioneller Gestalt vgl. Gollwitzer aaO 132: «Wenn man dieses ständige Angewiesensein auf Gottes jetziges, gegenwärtiges Tun vergißt, dann kann man sein Tun und unser Tun so merkwürdig historisierend und mythisierend hintereinanderreihen, wie es D. Sölle in den Schlußsätzen ihres Buches ... tut: ‹Als die Zeit erfüllt war, hatte Gott lange genug etwas für uns getan ... Es ist nunmehr an der Zeit, etwas für Gott zu tun› (St 205).» Daß der vermittelte Gott nicht notwendig den abwesenden Gott zur Folge haben muß, versucht Gollwitzer 139ff. zu zeigen.

Schon 1964 findet sich in dem Aufsatz «Ist Gott von gestern?» eine ausgebaute Argumentation zu Tod und Gegenwart Gottes (25). Er setzt ein mit dem naiven Gottesverständnis «als das himmlische Väterchen, das Wolken, Luft und Winde regiert, das Hagel, Krieg, Pocken oder Inflation schickt oder fernhält». Aber Gott ist nicht nur «ortlos» geworden, d.h. nicht mehr in einem Über-Raum Himmel vorstellbar. Gott ist auch «arbeitslos» geworden, seiner Funktionen entkleidet. Die Aufgabe, die Welt mitzuerklären, die die Religion früher hatte, «wird von der Wissenschaft geleistet», die das «besser kann» (26). Dieser Gott ist tot. So sagt es die Erfahrung. So ist es aber von Gott selbst inauguriert worden, der die Herrschaft des Menschen über die Welt und die «Säkularisation» der Welt wollte (27). Gott ist aber nicht nur «der Gott, der das Dunkel liebt und die kindlichen Gemüter». «Der Gott, den Jesus gemeint hat», konkretisiert sich als Leben in «Hoffen, Vertrauen oder Lieben». Es gibt also doch das, «was die Christen Gott nennen», wobei unklar bleibt, ob D. Sölle hier Jesus oder die Verwirklichung seines «Angebots» meint. In jedem Fall wird die Abdankung Gottes hier als die von ihm selbst gewollte Geschichte geradezu zu einer dankbar anzunehmenden Erfahrung. In der Sprache der Vorsehungslehre könnte man versucht sein, zu formulieren: Gott hat auf die Ausübung einer providentia generalis verzichtet, um in einer providentia specialis, wo Jesus das Angebot Gottes aufbewahrt, oder gar in einer providentia specialissima erst eigentlich zu seinem Wesen zu kommen: darin, daß «eine große Unbekannte in unser Leben hineinkommt», darin, daß dieses Leben «verfehlt werden und daneben gehen kann, weil Gott ist, das glücken kann und ganz gelebt werden – weil Gott ist». Daß dabei «Gott fordert» und als solcher «ist», leuchtet

25) W 13–18, vgl. dazu St 178.
Vgl. dazu E. Brunner, Wahrheit als Begegnung, 2. erw. Aufl. Zürich 1963. Dort wird in paralleler Gedankenführung der Mensch als Ort des Zusammentreffens der kausal und personal erfahrenen und gebrauchten Welt betrachtet und der Glaube der Person und Personwelt zugeordnet. Dazu v.a. 16–19 und 37–40, ebenso in Brunners Vorsehungslehre: Dogmatik II. Die christliche Lehre von Schöpfung und Erlösung, 2. A. 1960, v.a. 167–173.

26) D. Sölle folgt hier den Argumentationen von Marx und Feuerbach, die sie in R 115–119 als eine Voraussetzung ihrer theologischen Entwicklung bezeichnet. Vgl. zu diesem Thema H. Gollwitzer, Die marxistische Religionskritik und der christliche Glaube, Siebenstern-Taschenbuch 33, 1965.

27) Gogarten, Verhängnis und Hoffnung der Neuzeit, 102ff., 143ff., spricht von der Säkularisierung als Frucht des Glaubens. Die Formulierung Sölles macht daraus einen abgeschlossenen historischen Vorgang. Vgl. ebenso «Säkularisation» in A 53–54. Derselbe Gebrauch von Säkularisation bei F. Buri, Der Pantokrator. Ontologie und Eschatologie als Grundlage der Lehre von Gott, Hamburg 1969, 95.

ein: weniger, wie «Gott liebt», wenn sich diese Liebe in der Forderung erschöpft, selber zu lieben. Man kann nur annehmen, daß es eben gerade die Erfahrung der Aufhebung der Religion ist, welche als Ermöglichung der Liebe und des Mündigseins wirken soll (28).

In der neuen, von Christus inaugurierten Geschichte ist jedenfalls dies das Ziel «daß Schicksal nun aufhört, Schicksal zu sein» (29), da es ja als selbstverursacht durchschaut wird. Gott muß uns «größer, freier und liebesfähiger» machen, sonst «ist es Zeit, daß wir ihn loswerden» (30). «Ohne Vater fertigwerden zu müssen» ist nicht nur neuzeitliches Schicksal, sondern Notwendigkeit (31). Gott wird sonst zum Quietiv statt zum Movens, Wirklichkeit wahrzunehmen (32). Gott verbirgt sich aber auch im Erwarteten der Geschichte, als «Unabgegoltenheit» (Bloch) «nicht theistisch, naiv» (33). «Seine Verborgenheit hält gerade das offen, was wir am meisten von ihm brauchen ... seine Zukunft» (34), deren Subjekte aber offenbar wir sind.

Von diesen Anliegen her verstehen wir die immer wiederholte Argumentationsfigur der Gegenüberstellung von Leiden in der Welt und der Bezeichnung Gottes als «allmächtig», «allgütig», «allwissend» (35). D. Sölle geht es um die Beseitigung christlicher Apathie, die von der Berufung auf die Vorsehung Gottes lebt. Darum gibt es den Verzicht auf die Vorstellung eines «übernatürlichen himmlischen Wesens» (36). Darum darf Gott nicht mehr fromm als «religiös-theistische Welterfahrung» vergegenwärtigt werden (37). Deshalb ist er durch Christus so in die Welt gebracht worden:

«Er hat den Vater zum ewigen Bruder gemacht, er hat dieses Später ins Jetzt und dieses Droben ins Ganze der Welt gesetzt, er hat uns nicht mythi-

28) Vgl. das Zitat von Gollwitzer, Religionskritik ... 69 Anm. 11 aus Karl Marx' Frühschriften: «Wenn ich die Religion als entäußertes menschliches Selbstbewußtsein weiß, so weiß ich also in ihr als Religion nicht mein Selbstbewußtsein, sondern mein entäußertes Selbstbewußtsein in ihr bestätigt. Mein sich selbst, seinem Wesen angehöriges Selbstbewußtsein weiß ich also dann nicht in der Religion, sondern vielmehr in der vernichteten, aufgehobenen Religion bestätigt.» Vgl. dazu den ganzen Abschnitt aaO 66–77.

29) A 17, vgl. A 15–22, PT 79.102–103.

30) A 145, nach James Baldwin, 100 Jahre Freiheit ohne Gleichberechtigung, rororo-aktuell, Hamburg 1964, 56.

31) A 73, vgl. A 54–58.

32) A 65–67 und 78–79.

33) A 74.

34) A 76.

35) W 47, A 75.84.122, R 59.130.

36) A 79.

37) A 112.

schen Anteil am göttlichen Leben besorgt, sondern uns zu menschlichen Menschen gemacht» (38).

Das Verteidigen eines mythischen Gottes wird dagegen nach D. Sölle zur Verteidigung eines ideologischen Überrestes, der die Interessen der Mythenverwalter bemäntelt (39). Diese Interessen fordern eine Erziehung zum Gehorsam mit Hilfe eines autoritären Gottes (40), dem beim Menschen die Ohnmacht des Kindes entspricht (41), und der die Befreiung des Ichs ebenso verunmöglicht (42) wie die gesellschaftlich-politische Befreiung. Scheinbar rein theologische Sätze dienen also dazu, «vorhandene Herrschaft zu bestätigen» (43). Der schärfste Ausdruck dieses Sachverhalts findet sich in dem von D. Sölle aufgenommenen Bild Cardonnels von Gott als «dem großen Herrn der Jagd». Darin wird Gottes Autonomie und Omnipotenz nicht nur als Projizierung menschlicher Wunschträume dargestellt, sondern bereits in Richtung auf die später in «Leiden» entfaltete These vom sadistischen Gott. Von der ihm korrespondierenden masochistischen Demütigung des Menschen wird schon hier gesprochen. Deshalb muß dieses omnipotente Himmelswesen abgesetzt, erschossen werden (44). Deshalb wird auch der Verkündigung Jesu eine entsprechende anti-theistische Tendenz zugeschrieben:

«Gott war für Jesus nicht das familiär-heimliche Du, das für mich und die Meinen sorgt und überall herrscht. Herrschaft und Sorge sind in Jesu Worten dem Menschen anvertraut...» (45).

Gottesglaube als Providenzglaube wird schließlich als Erfüllung eines kindlichen Trost- und Hilfsbedürfnisses entlarvt, das durch den erwachsenen Menschen überholt ist. «Er findet von der passiven Erwartenshaltung zu seiner weltgestaltenden Kraft, in der die Geborgenheitssehnsucht immer mehr aufgelöst wird in die Fähigkeit hinein, selber Geborgenheit für andere ... zu

38) A 102, vgl. A 58 und R 11–14.

39) PuG 17.

40) PuG 9.25.

41) PuG 28.29.

42) PuG 70.

43) PT 49, vgl. PT 48ff., und 78–86.

44) R 63–65. Unsere Textformulierung lehnt sich an einen sinnvollen Druckfehler im Text an. In dem Satz, der von der Analyse der Gottesvorstellung der Tradition zur neuen überleitet, heißt es:

«Und das omnipotente Himmelswesen ist wieder in Macht gesetzt. Nun, es ist leicht zu *erschießen,* welches die dritte Vorstellung ist.» Statt des *Erschließens* einer neuen dritten Vorstellung wird also die Erschießung des omnipotenten Himmelswesens zur dritten, offenbar einzig sinnvollen Vorstellung.

45) R 40, vgl. R 57.88.

werden» (46). Das praktisch-christliche Handeln wird atheistisch, d.h.«es wird kein Eingreifen eines höheren Wesens erwartet» (47). «Gott geschieht in dem, was zwischen Menschen geschieht. Oder anders gesagt: «Gott hat keine andern Augen als unsere, Gott hat keine andern Ohren als unsere, er hat keine andern Hände als unsere» (48). Vorsehungsglaube und ethisches Handeln werden damit zu absoluten Gegensätzen. Dieses «Gott im Menschen» zeigt sich auch in der Beibehaltung des Gebets in gläubig-atheistischer Interpretation (49). Die Frage, inwiefern Gott dabei noch als Gegenüber auftritt, ist nicht eindeutig zu beantworten. D. Sölle stellt selbst fest: «Daß es Gott nicht mehr ‹gibt›, heißt ja nichts anderes, als daß es ihn nicht mehr eindeutig gibt» (50).

Die Frage nach Gott ist je nach dessen Funktion anders zu beantworten. Gott ist einerseits notwendiger Ort des Einklagen-Könnens des Menschenleids, um den totalen Verlust seiner selbst, das Versinken in Resignation, zu verhindern. «Nur weil Gott immer schon und vor uns da ist, kann einer überhaupt verzweifelt gegen den ihm leeren Himmel schreien» (51). Das Zitat erfordert allerdings, Gottes Verborgenheit als subjektive Erfahrung von der objektiv notwendigen Vorgegebenheit Gottes abzuheben. Ähnlich steht es mit der Aussage, daß das Gebet unsere Welterfahrung in ihrer Ambivalenz zur Sprache bringt, indem wir uns «Gott sagen», der sich als Hörender angesagt hat (52). Der in die Geschichte selbst eingegangene Gott setzt dabei offenbar, um zur Sprache zu kommen, den zuvor gefragt habenden und den eschatologisch «ausstehenden» Gott voraus (53). Im Gebet kommen offenbar auch bei D. Sölle Gott, Mensch und Welt zusammen!

46) R 49 und 67.

47) R 53. Das von D. Sölle in diesem Zusammenhang angeführte Gleichnis von A. Flew (R 47–50) von dem Garten, der im Urwald ohne sichtbaren Gärtner angelegt ist und gedeiht, kann genau so gut als Bestätigung der Providenz wie als Beweis für einen Atheismus gelten, je nachdem wie man die Methodik des Beobachters und die daraus entstehenden Erfahrungen qualifiziert, worüber weder das Gleichnis noch D. Sölle reflektieren.

48) R 66/67 und 131/132 und PN I, 26–27 (das sog. Credo von D. Sölle).

49) Vgl. dazu den Aufsatz von S. Hausammann, Atheistisch zu Gott beten? Eine Auseinandersetzung mit D. Sölle, in: EvTh 31, 8/1971, 414–436.

50) A 73.

51) W 115.

52) W 116 und A 116 unter Zit. von Jes. 65, 24. Zur Auffassung des Gebets als «Nötigung zu transzendentaler Selbstbesinnung, die aus der Erfahrung selber stammt» s. W. Bernet, Gebet: Themen der Theologie Bd. 6, Stuttgart 1970, 98 ff.

53) W 31 und 49.

Viel häufiger sind jedoch die Stellen, wo das Gebet als religiöse Ersatzhandlung, Rückfall in ein magisches Weltverständnis und kindische Weltflucht in einer falschen Funktion gesehen wird (54). Die Argumentationsfigur des Nebeneinanderstellens falschen christlichen Betens und atheistischer rechter Tat findet ihren Ausdruck in der Aufnahme des 11. Bildes aus Bertolt Brechts «Mutter Courage und ihre Kinder», in der Szene, wo eine Bauernfamilie für die bedrohte Stadt betet und Kattrin diese Stadt durch ihr Trommeln unter Verlust ihres Lebens rettet. Die Szene ist unterdessen bereits zum Standardstoff «christlichen» Religionsunterrichts geworden (55). Die u. E. vorliegende Intention des Dichters, wonach das Gebet der Bauern gerade zum Anlaß für das Handeln Kattrins wird, geht dabei verloren. Es wird nur noch darauf hingewiesen, daß «Sich selber retten – und für andere beten» eine verlogene Haltung sei (56). Damit wird im Grunde der Klage ohne eigene Tat das Daseinsrecht abgesprochen. «Im Gebet übernimmt der Mensch die Verantwortung für das Kommen des Reiches Gottes» (57). Der Mensch selbst wird Providenz, spielt Gottes Vorsehung und trägt die Schuld, wenn die Welt nicht zu Gerechtigkeit und Freiheit hin verändert wird. D. Sölle artikuliert diese Gesamtverantwortung des Menschen in der Ausweitung des Gebotes der Nächstenliebe zum Gebot der Bruderliebe gegenüber jedem Menschen auf der ganzen Welt. «Jeder Leidende ist unser Bruder – und jeder klagt uns an» (58). Der Mensch wird immer mehr verantwortlich belastet, weil er die Zusammenhänge des Weltgeschehens erkennt, «und keine Natur, kein Schicksal, keine fremde Gewalt sich zwischen uns und unser Versagen mildernd stellen» (59). Auch die Schuld an den gesellschaftlichen und politischen Mißständen und Verbrechen ist Schuld des Christen, von D. Sölle exemplarisch am Beispiel der Hitlerzeit dargestellt (60). Die so interpretierte Nächstenliebe wird als notwendige Überforderung be-

54) A 58 und 113, PuG 16–17, R 52 und 131–132 und 142–144, PT 79.

55) Lesebuch für den Religionsunterricht für 14–16-Jährige, Stuttgart 1969 und Unterrichtblätter für Konfirmanden Nr. 203 ed. E. Achtnich/E. Haug, Burckhardthausverlag.

56) A 111–113.

57) R 136.

58) R 28.

59) R 33–34.

60) A 22 und 122, R 121 und 141–142.
Vgl. zum Thema A. und M. Mitscherlich, Die Unfähigkeit zu trauern. Grundlagen kollektiven Verhaltens, München 1968, 69f. betr. Hitler und «Vorsehung», 123 betr. Tabuierung von Auschwitz, 229f. betr. Regression auf einen gottähnlichen Vater und politisch-kirchl. Führer- und Elternrolle (von D. Sölle u. W. nicht zitiert).

zeichnet (61). Auch die Auswirkungen sind so, «daß man die ganze ungeteilte Welt mit den Augen Gottes ansieht» (62).

All dies weckt die Frage, ob nicht bei der radikalen Immanenz dessen, was in der traditionellen Theologie als Vorsehung Gottes bezeichnet wird, der Christ zwar von den Mächten der Natur und Gesellschaft wenigstens intentional befreit wird, dafür aber den Mächten des unaufhebbaren Schuldbewußtseins und der weltweit informierten Ohnmacht zum Opfer fällt. Freilich soll man aufhören,

> «die eigene Ohnmacht zu verklären und auf den Fetisch, den alles vermögenden, allmächtigen Papa, der die Sache schon in Ordnung bringen wird, zu starren» (63).

Aber kann es der Sinn dieser Erkenntnis sein, nun statt dessen den Fetisch der Allverantwortung aufzurichten und einen neuen radikal-revolutionären Methodismus den Belasteten als Heilsweg anzubieten? Hier zeigen sich die Kehrseiten einer gegen den Gott der Providenz ausgerichteten antitheistischen Theologie. So sehr wir mit D. Sölle einer Eschatologisierung des Christentums zustimmen und so sehr wir das Gewicht der Erfahrungen der Moderne ähnlich sehen, so sehr fehlt uns das Gegengewicht einer göttlichen Verheißung, die nicht die Geschicke des Alls allein den Menschen zur Last legt. Der Mensch kann nicht als Atlas den Himmel tragen, d.h. er kann nicht von seinen Erfahrungen allein leben (64). Das Prae der Erfahrung ist bei D. Sölle zum apriorischen Kriterium der «Theologie» geworden. Was als Erfahrung nicht erschwinglich ist, wird aus der Theologie verbannt und der Mensch damit in sich selbst und seiner revolutionären Transzendenz begrenzt (65). Trotz aller Betonung von Mündigkeit und Freiheit entsteht dabei aufgrund des Absetzens von der Providenz eine neue Art von Schicksalsglauben, eine «Form des positiven Stoizismus» (66). Damit wird u.E. das eigentliche und berechtigte Motiv der Theologie D. Sölles, das Subjekt-

61) R 122.

62) A 83.

63) R 131. Vgl. die Kritik bei Gollwitzer, Stellvertretung, 34 und 106–111.

64) Zum Problem der Verantwortlichkeit vgl. Gollwitzer, Stellvertretung, der gegen D. Sölle K. Barth zitiert: «In Jesus Christus unausweichlich seinen Meister haben, heißt: Existieren in einer letzten, tiefsten Unverantwortlichkeit» (KD I, 2, 299). In dieser Absolutheit wirkt das Zitat freilich genau so vereinseitigt wie die den andern Aspekt verabsolutierenden Aussagen D. Sölles.

Bei Bonhoeffer scheint uns die fragmentarische Gleichzeitigkeit beider Aspekte gewahrt (vgl. dazu D. Sölle in H 144, 153, allerdings typischerweise Bonhoeffer an einem um das Subjekt kreisenden und damit u.E. für Bonhoeffer nicht repräsentativen Text darstellend). Zum Bild des Atlas vgl. das Barth-Zitat Teil III, 105 Anm. 102.

Werden des Menschen, der nicht ein Objekt irgendwelcher Mächte sein, sondern Ich sagen und sein Glück gestalten soll (67), selbst beeinträchtigt.

3. Erfahrung und Subjekt-Sein

Tatsächlich rückt nun in den beiden letzten Werken von D. Sölle, «Leiden» und «Die Hinreise», das Subjekt-sein-Können des Menschen als Problem thematisch immer mehr in den Vordergrund. Das Feld der zugrunde gelegten Erfahrungen weitet sich aus, v. a. durch biographische Dokumente und persönliche Erfahrungsberichte, die nicht mehr allein den geschichtsphilosophischen und sozialpolitischen Bereich betreffen. Entsprechend weitet sich der Bereich, in welchem religiöse Tradition aufgenommen werden kann. Ja, selbst so etwas wie Providenzerfahrung und -glaube gewinnt als Sich-selbst-zur-Sprache-Bringen wieder Raum. Gott und das Subjekt werden miteinander direkt in Beziehung gebracht. Dabei ist nach wie vor die Erfahrung Ausgangspunkt und Kriterium. Aber die biblische Tradition wird nun nicht nur in ihrem eschatologisch-revolutionären, sondern auch mystisch-religiösen Aspekt aufgenommen. Das emanzipatorische Anliegen und damit der Gegensatz zu einer sich theistisch ausdrückenden, Gott als Subjekt aussagenden Providenzlehre bleiben dabei unverändert.

a) Gott als Hindernis des Subjekt-Seins

In «Leiden» führt D. Sölle die Polemik gegen einen Allmachtsgott fort, der die «Allmacht eines himmlischen Leidverhängers» (68) verkörpert. Sie bedient sich dabei der Sprache der Psychopathologie zur Beschreibung der Wirkungen eines solchen Gottesbildes als Zusammenhang von christlichem Masochismus und theologischem Sadismus (69). Beides gehört zusammen

65) W 11–12, R 72–73, PT 14–16.

66) Gollwitzer, Religionskritik 144 zum Marxismus als einer «relativen Sinngebung durch uns selbst inmitten einer sinnlosen Welt», was uns unter andern Voraussetzungen auch für die Theologie D. Sölles zu gelten scheint, vgl. dazu die Alternative von Absurdität oder Passion im Leiden resp. Mit-Leiden. D. Sölle nähert sich hier u. E. Albert Camus. Vgl. dazu v. a. A. Camus, Die Pest, (frz. 1947) rororo 15, 1950ff. und Der Mythus von Sisyphus. Ein Versuch über das Absurde (frz. 1942) rde 90, Hamburg 1959ff. Vgl. D. Sölles Hinweis auf Camus L 190.

67) PuG 25.28.39.61.70 und PZ 67ff.

68) L 34, vgl. L 212–214.

69) L 8ff., L 26ff.

als entartete theologische Lehre resp. christliche Lebensführung. Letzteres wird illustriert am Beispiel des Erduldens eines Schicksals wie z. B. einer unglücklichen Ehe, in welcher der Mensch zu keiner Veränderung fähig ist, und zwar aufgrund eines christlichen Weltbildes, nach welchem «das, was ist, immer der Wille Gottes ist» (70). Die Unterwerfung unter einen unerforschlichen Ratschluß Gottes wird mit S. Freud als masochistische Konsequenz gedeutet (71). Die Kritik der sadistischen Theologie wird zunächst am Beispiel religiöser Traktatliteratur durchgeführt. Diese spannt die Krankheit als Mittel zur Glaubenspädagogik ein und überläßt im alleinigen Gebrauch von personellen Verarbeitungskategorien wie Prüfung, Strafe und Läuterung alles der privaten Annahme des Leidens. Aus der konkret biblischen Aussage «Gott handelt» wird dabei ein vorausgesetztes Dogma «Aller Schmerz kommt von Gott» (72). Die Verbindung von sadistischem Dogma und masochistischer Unterwerfungshaltung sieht D. Sölle v. a. in Calvin verkörpert, womit sie eine Tendenz bei Calvin, diejenige der totalen Rechtfertigung Gottes, berechtigt kritisiert (73). Es darf nach Sölle nicht von einer «Gerechtigkeit, die hinter den Leiden stehen soll» (74), gesprochen werden; es darf keine «Versöhnung Gottes mit dem Elend» (75) stattfinden. Die im Vorsehungsbegriff stattfindende repressive antik-christliche Allianz muß fallen (76). An ihrer Tradition zeigt sich die Zusammengehörigkeit von apathischem Gott und Fatalismus, womit in theologischer Begrifflichkeit dasselbe anvisiert wird wie vorher in psychopathologischer (77).

Entsprechend wählt D. Sölle aus den verschiedenen möglichen Hiob-Deutungen den Hiob des Protestes gegen Gott, denjenigen, der fromm ist,

70) L 19.

71) L 31, zit. aus: Das Unbehagen in der Kultur, nach: Das Unbewußte. Schriften zur Psychoanalyse, Frankfurt 1960, 360.
Daß dies nicht das Ganze von Freuds Verhältnis zu religiöser Wahrheit bezeichnet, ist dargestellt bei J. Scharfenberg, Sigmund Freud und seine Religionskritik als Herausforderung an den christlichen Glauben, Göttingen 3. A. 1971, v. a. 145–154.

72) L 26–29.

73) L 32ff. Ähnlich Hedinger aaO 105–106 und extrem J. Kahl aaO 56. Die Einseitigkeit der Auswahl D. Sölles zeigt sich daran, daß der Kp. I von «Leiden» vorangestellte Text aus einem Gebet Calvins für einen wöchentlichen Werktags-Bußgottesdienst stammt (OS II, 28, 10–24), und die darauffolgenden Passagen über den Trost der bedrückten Seelen nicht berücksichtigt werden. Aber Calvin hat schon von jeher besonders als geeignetes Projektionsobjekt aus der Kirchengeschichte herhalten müssen. Vgl. dazu jetzt G. Mützenberg, L'Obsession calviniste, Genf 1979.

74) L 44, ähnlich L 89 und L 173–174.

75) S. Anm. 11.

76) L 198–199 nach Hedinger.

indem er nicht glaubt, der Gott als Tyrannen entlarvt und weiter «auf einen andern wartet», auf den bis heute nicht gekommenen Erlöser (78). Aus der Darstellung der Geschichte Israels in Ägypten wird hervorgehoben, daß das Leiden des Volkes nicht auf Gott zurückgeführt werde. Gott befreit – das ist seine Rolle (79). In der Einleitung zur «Hinreise» wird unter Verwendung von Begriffen der traditionellen Vorsehungslehre ein Fazit der Neuorientierung gezogen:

«Als Gott wird im Rahmen der nekrophilen Orientierung ein Wesen verehrt, dessen wichtigste Tätigkeiten ‹erhalten›, nicht schaffen, ‹beherrschen›, nicht verändern, ‹beschützen›, nicht freisetzen sind, ein überparteiliches Wesen... Aber der Gott, von dem die Bibel spricht, ist parteiisch, er hat die Partei des Lebens ergriffen, er hat gegen den Tod Partei ergriffen... An Gott glauben bedeutet, auf die Seite des Lebens übergehen ...» (80).

Gott wird damit vom ersten Verursacher des Leidens zur neuen Orientierung der Überwindung des Leidens. Gott – der erste Gott! – muß sterben, damit der Mensch leben kann. Das Leiden läßt am heteronomen Gott scheitern (81). Der Prozeß, der zu dem Ergebnis führt «Gott gibt es nicht» (interpretiert als Erfahrung, «daß es kein gütiges himmlisches Wesen gibt...»), wird als normale Entwicklung bezeichnet (82). Aber neu ist nun die ausdrückliche Distanzierung von der Banalität eines sich mit dieser Feststellung begnügenden Atheismus. Neu ist die ausdrückliche Aussage, daß mit der Absetzung dieses Gottes oder der Diffamierung der Fragen nach Leiden und Religion nichts gelöst, sondern etwas dem Menschen Wesentliches verdrängt wird (83). Das Leiden soll nicht mehr in die Absurdität des Daseins verrech-

77) L 58–60.

78) L (142–) 148.

79) L 137. Wie auch heutige Befreiung sich in biblischer Sprache direkt, theistisch, aussprechen kann, zeigen die Spirituals. Vgl. dazu v. a. J. Cone, Ich bin der Blues und mein Leben ist ein Spiritual (1972), dtsch. München 1973 und Th. Lehmann, Negro Spirituals. Geschichte und Theologie, Berlin 1965.

80) H 15.

81) L 165.

82) L 175–176. Dahinter steht die Konzeption Freuds, daß sich die «Abwendung von der Religion mit der schicksalsmäßigen Unerbittlichkeit eines Wachstumsvorganges» vollziehen wird. Zit. nach J. Scharfenberg, Religion zwischen Wahn und Wirklichkeit. Gesammelte Beiträge zur Korrelation von Theologie und Psychoanalyse, Konkretionen 13, Hamburg 1972, 88. Man muß dann aber auch wohl bereit sein, die damit verbundene Konsequenz zumindest auch ernsthaft zu überlegen: «Die Absicht, daß der Mensch glücklich sei, ist im Plan der Schöpfung nicht vorgesehen», S. Freud, Ges. W. XIV, 434, bei Scharfenberg ebda.

83) L 176–177.

net, sondern das Leben in der Passion der Liebe bejaht werden (84). Dies ist der Weg, in dem sich der Weg Christi und der Weg unserer Erfahrung finden können. Sie ist zugleich der Weg zum neuen Gott-Sein (85). Wessen Gott-Sein?

b) Gott als Erfahrung des Subjekt-Seins

In der Analyse der Gethsemane-Geschichte stellt D. Sölle den Weg durch das extreme Leiden dar, wiederum in Parallele mit den Erfahrungsberichten von Opfern der Widerstandsbewegung im 2. Weltkrieg. Das extreme Leiden bringt zunächst die «Erfahrung des Nichts» als Erfahrung der Verlassenheit von Gott, als Zerstörung des Lebensgrundes des «Urvertrauen(s)» in die je und je anders vermittelte Verläßlichkeit der Welt. Dann folgt aber die über die Zerstörung hinausgehende Erfahrung Jesu (und anderer) als Erfahrung der Einwilligung und Befreiung von Haß zur Liebe. Ob darin von einem Wirken Gottes oder einer Selbstsammlung des Menschen gesprochen werden soll, ist nicht eindeutig und wird als – offenbar mystisch überholte – Alternative abgelehnt. «Ein Engel stieg zu Jesus sowenig herab wie zu anderen Menschen – oder soviel. Beides ist wahr ...» (86). Die mystische Erfahrung des Weiterlebens ins Leere, der Neugeburt in der Nacht des Kreuzes braucht keine personal gedeutete Gottesbeziehung. Das Wirken Gottes – oder seine gleichzeitige Ab- und Anwesenheit (87) wird immer wieder als Sprachform gebraucht und aus Erfahrungsberichten Anderer übernommen und umgedeutet.

Dies zeigt sich vor allem in ihrer Interpretation der Lebensgeschichte des als 7-jährig erblindeten Jacques Lusseyran. Lusseyran kann von den Ereignissen als «Zeichen Gottes» reden und davon, «sich vom Vertrauen tragen zu lassen». D. Sölle interpretiert dies als unendliche Bejahung des Lebens und sieht in Gott «das Symbol für unsere unendliche Fähigkeit zu lieben». Daß «denen, die Gott lieben, alle Dinge zum Besten dienen» (Röm. 8,28), wird in seiner Wahrheit nicht aufgrund göttlicher Verheißung, sondern als ungebrochenes Urvertrauen aufgrund extrem günstiger psychosozialer Bedingungen

84) L 192 und 12.

85) L 180.

86) L 108–109.

87) L 191 aus S. Weil, Das Unglück und die Gottesliebe, München 1953, 116. Hier wird das theistische Reden S. Weils von D. Sölle als etwas bezeichnet, von dem man sich «nicht irritieren» lassen darf.

Die Aussage der gleichzeitigen An- und Abwesenheit Gottes als beispielhaft für heutiges Reden von Providenz wird uns noch beschäftigen. Vgl. dazu E. Jüngel, Anfechtung und Gewißheit des Glaubens, Kaiser Traktate 23, München 1976.

dargestellt – was aber wiederum nicht Gabe Gottes sein darf. Denn alles Gewicht liegt auf der «Wahrheit der Annahme» des Leidens, die ihre Stärke darin hat, daß keine Derealisation stattfindet, daß dem Leiden das Schicksalhafte genommen wird. Gott lieben und das Leben lieben, auch in seiner schmerzhaften Fragmentarität, ist offenbar ein für D. Sölle unvereinbarer Widerspruch, sofern Gott mehr sein soll als einer, «der nicht als fertiges Wesen über uns ist, sondern der, wie alles, was wir lieben, erst wird». Daß Gott in der Verheißung der Vorsehung erst als der mit uns Werdende wirklich sein kann, wenn er auch mit uns schon geworden ist, d. h. wir ihn nicht unabhängig von seiner Geschichte entdecken, fällt hier für den Menschen und damit auch für Gott außer Betracht (88). Gott als Liebhaber des Lebens (Weish. Sal. 11, 26) ist allein der «affirmative Kern» des christlichen Glaubens. Die Bejahung der Welt als Ganzes bekommt sonst eine ungeschichtliche Totalität (89).

Konsequent führen diese Gedanken deshalb bei D. Sölle zu einem mystischen Verständnis eines Findens Gottes, bei dem man Gottes ledig wird (90). «Es ist nicht mehr der Herrengott, sondern ein anderer, der nun ‹einzig als unser tiefstes Subjekt selber, als der innerste Zustand (nicht: Gegenstand) unseres eigenen Elends, unserer eigenen Wanderschaft, unserer eigenen unterdrückten Herrlichkeit› gilt» (91). Allein hierin kann das von D. Sölle intendierte «Ja des Glaubens auch gegen alle Erfahrung» gewonnen werden (92). Bibelworte wie Hiob 1, 21 «Der Herr hats gegeben, der Herr hats genommen, der Name des Herrn sei gelobt» erscheinen demgegenüber als Vertretung «pfäffischer Theologie» der «Unterwerfung», nicht etwa als «Ich-Stärke». Diese gibt es wiederum nur in der «Entmächtigung des Leidmachers» (93).

Deshalb kann nun in der «Hinreise» sowohl von dieser Erfahrung des Subjekt-Werdens in providentieller Sprache ebenso die Rede sein wie von einem methodischen Selbst-Gewinnen dieser Gewißheit. Die dort mitgeteilten religiösen Erfahrungen sind Erfahrungen von Identitätsgewinn entgegen

88) L 112–117, zit. L 117.

89) L 136. Gegenüber diesem Aspekt bei D. Sölle scheint uns Hedinger aaO das größere Recht für sich zu haben, wenn er die Bejahung des Schicksals als Führung in globaler Gestalt ablehnt, d. h. sich gegen die lutherische Lehre von der Kreatur als larva Dei wendet (174–180), wie auch E. Brunner, Dogmatik II, 2, 167. Die radikale Verneinung des Sinnlosen darf gerade nicht – auf einer Ebene gedacht – zur unendlichen Bejahung der Wirklichkeit werden.

90) L 118/119, L 156–157 und L 165.

91) L 119, vgl. H 103–118.

92) L 118 und 193.

93) L 119.

der identitätszerstörenden Wirklichkeit. Sie treten als innere Erfahrung der «Empirie» gegenüber (94) und werden zum Interpretationsmaßstab biblischer Tradition (95). D. Sölle stellt eigene Erfahrung in Formen religiös-erwecklicher Sprache dar: «Ich schrie um Hilfe ... ‹Gott› hatte mir gerade diesen Satz (d.h. Laß dir an meiner Gnade genügen) ‹gesagt›... Ich war am Ende, und Gott hatte den ersten Entwurf zerrissen ... Er warf mich mit dem Gesicht auf den Boden ... Später habe ich gemerkt, daß alle, die glauben, ein wenig hinken, wie Jakob, nachdem er mit dem Engel gekämpft hat» (96). Die religiöse Sprache als Sprache christlich-providenzgeprägter Tradition bekommt hier eine gegenüber früher erweiterte Möglichkeit. Sie erfüllt hier das dritte Postulat aus «Leiden»: nebst der Notwendigkeit zu übersetzen und zu eliminieren auch zu wiederholen (97), was nicht anders ausgesagt werden kann. Dabei bleibt Gott aber «Symbol für die Eigenkräfte des Menschen», obschon er «immer wieder erfahren und gefunden werden muß» (98). Es berührt dabei seltsam, wie verschiedene biblische Texte in beliebiger Vereinzelung zum Mantra der Verinnerlichung werden, z.B. «Mir wird nichts mangeln» (99). Der Mensch wird dabei zum Agenten seiner eigenen Vorsehungserfahrung. Der im vorhergehenden Kapitel angesprochenen Verfügung der Allverantwortung tritt nun der Methodismus der Selbstbefreiung zur Seite, als «Modell» der innern Reise. Wiederum ist dabei die Tendenz gegen die den Menschen zerstörende Zweckrationalität, gegen den Gott «Fatum», berechtigtes Anliegen (100). Aber kann dem die Apersonalität autonomer religiöser Erfahrung standhalten? Über sie wird gesagt: «Daß der Mensch zum Göttlichen in Beziehung gesetzt wird, ist ja ihr den ‹Selbstwert› setzender Sinn, noch unabhängig davon, wie das konkret aussieht» (101). Kann dies aber sinnvoll ohne Konkretion geschehen?, gesagt werden?

Auch hier wird wieder psychologische Begrifflichkeit verwendet, um dieses Geschehen religiöser Erfahrung zu beschreiben. Versenkung und Handeln werden mit Regression und Progreß parallel gesetzt (102). Dabei zeigt sich erneut das Problem der Konkretion. Problematisch scheint uns dabei v.a. die Gleichsetzung von Versenkung und Regression. Regression führt

94) H 44, H 48, H 79.
95) H 87, H 47, H 177.
96) H 43 und 44.
97) L 15.
98) H 87 und 88.
99) H 97.
100) H 171, vgl. H 160.
101) H 128.
102) H 111–115.

nicht ohne weiteres, wie dies von der mystischen Versenkung angenommen wird, in heile Sphären der Ureinheit. Sie bringt im Gegenteil die Begegnung mit unverarbeiteten Lebenselementen, die im psychotherapeutischen Sinn einer Aufarbeitung bedürfen. Darin geschieht ein gemeinschaftliches Sich-Einlassen auf die Wirklichkeit des Menschen als unerledigter Geschichte mit seiner Welt. Daraus resultieren dann konkrete, fragmentarische Fortschritte in einem Anerkennen des Unabgeschlossenen des Menschen. D. Sölles Konzeption ist dagegen in den zwei Polen von Mystik und eschatologischer Sehnsucht resp. sozialer Utopie verankert. Dazwischen bewegt sich das Subjekt. Je leerer aber der religiöse Urgrund der Mystik wird, desto bedrängender die Utopie – als positive und negative Wirkung auf den Menschen. Er steht dann zuletzt wohl unter einer neuen Art von «Wiederholungszwang», als Zwang, den Kampf gegen den Gott «Fatum» und die als Fatum aufgefaßte Welt allein zu führen.

4. Systematische Zusammenfassung und Kritik

a) Verlust der Tradition

Wir haben versucht, die atheistische Theologie D. Sölles sinnvoll als antitheistische Theologie zu verstehen, und zwar konkret als auf allen Stufen ihrer Entwicklung erfolgende Abweisung einer Lehre von einem vorgegebenen, providentiell handelnden Gott. Die entscheidende Alternative lautet: Gott spielt mit uns – wir spielen Gott. Darin sind alle andern immer wieder auftauchenden Gegensätze wie Aktivität gegen Passivität, Subjektsein des Menschen gegen Autorität Gottes, Eschatologie gegen Erhaltung und schließlich Erfahrung gegen Tradition mit angesprochen. Sie erscheinen durchaus als sich ausschließende Elemente, die ihr Ziel jeweils nur unter Verlust ihres Gegenpols erreichen können. Insbesondere erscheint die Beseitigung der Tradition als Knechtung des Leidenden und als Alibi des Satten geradezu in der Sicht eines heilbringenden und damit providentiellen Geschehens. «Erst wenn die Nichtigkeit der Welt ganz aufgedeckt ist, erst wenn sie ‹erfüllt› ist – kann das goldene Zeitalter hereinbrechen». Dieses Urteil D. Sölles zur romantischen Dichtung (103) gilt u. E. als mögliche Charakterisierung ihrer eigenen Theologie der 60er Jahre.

103) In ihrer Dissertation; Untersuchungen zur Struktur der Nachtwachen von Bonaventura, Palaestra Bd. 230, Göttingen 1959, 105. Vgl. ebda auch 69–71 und 78–81 über die Marionettenhaftigkeit des Menschen.

Die geschilderte Alternative wird in einer zweiten Phase dann überholt und umschlossen von der Suche nach einer Sinnvergewisserung des Daseins in diesem Vorgehen. An die Stelle der Beseitigung der Tradition zur Entlarvung tritt das mystische Durchstoßen der Tradition zur Selbstfindung. Das Ziel wird dabei aus der ersten Phase weitergeführt: auch dieser Prozeß des Subjekts soll aus der metaphysischen Empörung zur irdischen Solidarität führen (104), dazu, sich der Nachfolge nicht zu verweigern (105), sondern «an der jeweils schlechtesten Stelle» mitzuspielen (106). Diese Haltung ist «Verzicht auf die Gesamtlösung, und der Blick richtet sich vom Himmel fort auf die hier Leidenden hin» (107). Noch einmal wird also alternativ formuliert. Aber zugleich gehört dazu nun der Trost: «Gott muß auch im Elend für den Menschen gedacht werden» (108). Gott greift zwar «nicht unmittelbar helfend, rettend, sich (!) als Heil verwirklichend» ein. Aber dennoch ist «der Trost der Zukunft ohne alle Gegenwart abstrakt». D. Sölle hält an dem Paradox fest, «daß Gott uns liebt, auch dann, wenn nichts davon sichtbar ist». Die Zukunft ist freilich weiter «Utopie eines besseren Lebens». Gott ist mystisch in die Gegenwart eingeholt worden, nachdem er früher mythisch vergangen war. Und die Zukunft? Die «künftige Stärke Gottes, der sein Reich heraufführt» wird zumindest als Sprachform wieder möglich. Die Hoffnungen, Sehnsüchte und Wünsche des Menschen werden als Ausdruck seiner selbst gesehen. Gottes Lob ist nicht mehr Zynismus, sondern umgekehrt ist das Abwürgen religiöser Äußerungen Verstümmelung des Menschen (109). Wiederum zeigen die neuern literaturgeschichtlichen Äußerungen D. Sölles dies vielleicht klarer als die theologischen. Sie beschreibt bei Jean Paul eine «Anthropologie ... die das Eigentümliche des Menschen in der Grenzenlosigkeit seiner ‹Wünsche›, wie es mit einem wiederkehrenden Begriff heißt, sieht. Hoffnung, Bedürfnis, Sehnsucht sind ihm die ersten Bestimmungen des Menschen, nach denen alle andern sich zu richten haben» (110). Damit wird auch die religiöse Produktivkraft der Sprache positiv gewertet. «Die Dichtung, jede Dichtung plant so etwas Chiliasti-

104) L 212–217.

105) H 127.

106) L 215.

107) Ebda.

108) Dieses und die folgenden Zitate L 202, vgl. auch L 129.

109) L 205 und H 166–173, nochmals verschärft in: Der Wunsch ganz zu sein, 1976, 12: «Die Kritik an der Religion als eine Kritik am Wünschen ist eine Verstümmelung der Menschen im Interesse der kapitalistischen oder sozialistischen Zweckrationalität; sie ist heute objektiv reaktionär.»

110) Realisation 231.

sches: endlich ein gutes Weltregiment, was offenbar Gott auf Erden nicht gelang» (111). Dabei tritt allerdings nach wie vor «Zukunft» an die Stelle des Planes Gottes (112). Die Sprache – und damit der eigenständige Mensch – plant selbst die Realisation.

Damit sind nun aber Ansätze gegeben, die über die Alternative Erfahrung gegen Tradition hinausführen. In paulinischer Begrifflichkeit ausgedrückt, wie sie von Gogarten in den Mittelpunkt seines geschichtlichen Denkens gestellt wurde (113): Mündig sein, Sohn werden, bedeutet auch Erbe werden, also Neuorientierung des Verhältnisses zum Vater und nicht

111) Realisation 31, aus einem Aufsatz von Alfred Döblin, jetzt in: Aufsätze, Olten 1961. Die dichterische Realisation religiöser Tradition in der Sprache tritt dabei dem Begriff der Säkularisierung/Säkularisation (beides vermischt gebraucht) entgegen (aaO 28–32). Die Produktivkraft der Sprache wird von D. Sölle positiv gegen H. Blumenberg angesetzt. (H. Blumenberg, Legitimität der Neuzeit, Frankfurt 1966, 57ff.) Vgl. dazu auch Realisation 62–65.

112) Realisation 59. D. Sölle nähert sich hier im Ganzen der Theologie von L. Ragaz, der in seinem in Gesprächsform abgefaßten Katechismus: Die Botschaft vom Reiche Gottes, Bern 1942, Anliegen D. Sölles bis in einzelne Formulierungen hinein vorwegnimmt. Zum Problem der Vorsehung schreibt Ragaz: «Es ist nicht so, daß wir irgendwo, irgendwann und irgendwie aus Gottes Hand fielen ... Uns aber käme die Aufforderung entgegen, daß wir, statt allzu kinderhaft von Gott alles zu erwarten und nach seiner Vorsehung und Regierung zu fragen, uns mehr auf die eigenen Füße stellten – als Söhne! In Ehrfurcht! In Demut! Daß wir in diesem Sinne selbst mehr Vorsehung würden, Gott die Welt regieren hülfen, Gott die Welt untertan machten – womit Altes und Neues Testament sich wieder zusammenschlössen ... Inzwischen muß es auch Zufall geben, weil es eben Chaos gibt. Denn die Welt ist nicht fertig ... Wir sollen das Leid und Rätsel der Welt nicht sowohl mit dem Denken zu erklären und damit vielleicht auch zu rechtfertigen suchen, etwa als Werk der Vorsehung, als vielmehr es angreifen und besiegen mit der Kraft des Reiches Gottes. Denn es ist eine werdende Welt» (aaO 126. 127. 130. 131).

113) Nach Gal. 4, 1ff., v. a. in: Verhängnis und Hoffnung der Neuzeit, 32ff. 77. 202ff. und in: Was ist Christentum?, 66ff. und 81ff.
Gegenüber dem utopischen Charakter des Glaubens bei D. Sölle scheint uns Gogartens Unterscheidung von säkularem Weltverhältnis und Säkularismus als Ideologie nach wie vor als kritische Anfrage angebracht, vgl. Verhängnis ... 142–146 und 224 als Warnung vor einer Identifikation von christlichem Glauben und Christentum. – Etwas anders verhält es sich mit dem Vorwurf J. Moltmanns, Der gekreuzigte Gott, München 1972, 252, D. Sölle setze anstelle eines neuen erlösten Daseins «romantische Ursprungsträume». Diese leisten zum Wachhalten einer eschatologischen offenen Geschichte vermutlich den bessern Dienst als eine «dogmatistische Befriedigung mit dem metaphysischen Übel», ein Vorwurf Moltmanns gegen Tillich aaO 212, der als Anfrage auch an Moltmanns Trinitätstheologie zu richten wäre. D. Sölle in ihrer Rezension WPKG 62, 7/1973, 367, stellt noch aus andern Gründen ähnliche Fragen an Moltmanns Theologie der heilsökonomischen Trinität.

dessen Beseitigung, Trinitätstheologie und nicht A-theismus. Auf der Ebene der Sprache wäre dies nicht ein Abkehren, sondern ein Zehren von der Tradition. D. Sölle gibt einzelne Hinweise in dieser Richtung (114). Dabei ist durchaus einzuräumen, daß es mit dem Zehren von der Tradition auch zu einem «Verzehren der Tradition» kommt (115). Energien, die in der von D. Sölle so genannten «nekrophilen» Orientierung des Christentums festgelegt sind, werden frei, und entsprechend belastende mythologische Vorstellungen der Tradition zu befreienden Bildern der Verheißung. Damit geht die Tradition nicht verloren, sondern wird gebraucht, verbraucht und neu entworfen.

b) Evidenz der Erfahrung

Die Berufung auf Erfahrung hat im Werk D. Sölles verschiedene Aspekte. Ist es am Anfang vorwiegend die Berufung auf die Erfahrung der geistesgeschichtlich-naturwissenschaftlichen Entwicklung, so kommen dann die Berufungen auf die unmittelbare sozialpolitisch erfahrene Wirklichkeit immer stärker zum Zug, und schließlich dominiert die Erfahrung persönlichen Schicksals und die damit verbundene innere Erfahrung. Dies ist zunächst als fortschreitende Erweiterung des Erfahrungshorizontes zu verstehen. Die früher berechtigte Kritik an der Absolutsetzung einer bestimmten Deutung der Wirklichkeit im Ganzen muß deshalb zumindest modifiziert werden (116). Dafür entsteht dann das Problem des In-Beziehung-Setzens verschiedener Erfahrungen ein und derselben Geschichte. Bei D. Sölle geschieht dies

114) L 16.121.183, H 127 und 184. Bedeutend weiter ausgebaut sind diese Fragestellungen in Realisation, v.a. 49ff. zu «Die figurale Methode».

115) Der Begriff wurde von W. Bernet in einer Erarbeitung des Religionsverständnisses von C. G. Jung geprägt. Vgl. dazu Bernet aaO 29–41. Dabei ist zu betonen, daß Jung durchaus zu einem kritischen Umgang mit der «Religion» anleitet und nicht einfach zum Anwalt der Verinnerlichung von christlich-religiöser (auch atheistischer) Seite vereinnahmt werden darf. S. dazu W. Bernet, C. G. Jung in der Theologie seiner Zeit. Bemerkungen zu einer Mésalliance, Neue Zürcher Zeitung, 21. 8. 76.

116) Vgl. S. Hausammann aaO 426 unter Berufung auf F. Mildenberger, Das Gebet als Übung des Glaubens, Stuttgart 1968, 71: «Nachdem aber die Voraussetzung fragwürdig geworden ist, daß der Mensch die Wirklichkeit im Ganzen überhaupt vor sich versammeln könne, sind erst recht theologische Folgerungen aus dieser Voraussetzung fragwürdig geworden.» Im Folgenden kommen wir aber aufgrund der späteren Entwicklung der Theologie D. Sölles zu ähnlichen Schlüssen wie S. Hausammann in ihrem auf das Gebet hin orientierten Aufsatz: «In bezug auf die Gebetssituation leiten sie (d. h. die Schlagworte wie «Nachtheistisch») insofern irre, als sie den Anschein erwecken, Recht und Kriterien christlichen Betens ließen sich aus der Wirklichkeitserfahrung gewinnen» (aaO 433).

unter dem dominierenden Aspekt einer negativen Erfahrung mit theistischer Tradition. Von daher werden sachkritisch religiöse Erfahrungen anderer Art als überholt abgewiesen oder atheistisch-mystisch interpretiert, ebenso wie die in biblischen Texten vorgelegten Erfahrungen, z. B. 1. Kön. 19 (Elias Gottesbegegnung) und Ps. 139 (117). Vorgegeben bleibt dabei der dem Menschen innewohnende Anspruch auf eine totale Erfahrung des Heil-Werdens und Ganz-Seins sowohl in mystischer Selbstfindung wie in eschatologisch-politischer Realisation, der sich letztlich einer präzisen Definierung entzieht und gerade damit seine Lebendigkeit als «Begriffs-Symbol Erfahrung» behält (118). Dieser Anspruch verbindet sich nun mit dem «Grundgedanken nichttheistischer Theologie», wonach Gott niemals «das Alibi unserer verweigerten Liebe» sein darf (119).

Dieser auch anderer Theologie zugrunde liegende Gedanke schlägt nun aber in die Ablehnung eines theologischen Redens von Gottes Handeln um. Entsprechende Texte müssen nach D. Sölle neu, d. h. aber als Interpretation eigener Erfahrung, interpretiert werden. Damit wird die Evidenz textgewordener Erfahrung nur soweit aussagefähig, als sie der Evidenz eigener Erfahrung als Bestätigung dient. «Abwehr von Erfahrung» (120), von D. Sölle als Grundübel kritisiert, kann hier als Abwehr anderer Erfahrungsinterpretation als der eigenen gewandelt wieder auftreten.

Uns scheint nun entscheidend zu sein, daß Erfahrung gesprächsfähig werden muß und nicht jeder in seiner ihm evidenten Erfahrung allein bleibt (121). D. Sölle stellt zu Recht fest, daß Theologie ohne ein Minimum ge-

Vgl. als Beispiel der Erfahrbarkeit der Welt unter den Aspekten der Providenz und der Gottlosigkeit G. Krüger, Religiöse und profane Welterfahrung, Frankfurt 1973, v. a. 19–37.

Diesen Literaturhinweis verdanke ich G. Ebeling. Vgl. dazu den Aufsatz: Die Klage über das Erfahrungsdefizit in der Theologie als Frage nach ihrer Sache, in WuG III, 3–28.

117) H 77ff. und 155ff.

118) H 44.

119) H 127.

120) H 31–32.

121) H 45ff. werden diese Erfahrungen der innern Welt am Beispiel des Schizophrenen artikuliert. Dieses Beispiel zeigt die Evidenz, aber auch Beziehungslosigkeit solcher Erfahrung ohne gemeinsame Sprach- resp. Verarbeitungsebene. Dies entspricht der Ablehnung der «second hand goods» in der Religion (so D. Sölle, H 47, nach dem von ihr zit. R. Lenz müßte es heißen «second hand gods», s. Lenz in: Der unverbrauchte Gott, 97). Das Buch von R. D. Laing, auf das sich D. Sölle beruft: Phänomenologie der Erfahrung, Suhrkamp 314 (1967) dtsch. Frankfurt (1969) 7. A. 1975, artikuliert noch schärfer die Notwendigkeit einer innern Erfahrung als Grundlage für den Glauben, aber auch «das Risiko von Chaos, Verrücktheit und Tod» Laing aaO 132–133.

meinsamer Erfahrung zu Gerede entartet (122). Ebenso muß aber umgekehrt gesagt werden, daß Erfahrungen ohne ein Minimum gemeinsamer Verarbeitungstradition nicht mehr kommunizierbar sind. Das Reden von Gottes Vorsehung stellte epochenlang so etwas wie eine gemeinsame letzte Anknüpfungsbasis zur Erfahrungsinterpretation – positiv und negativ – dar. Es steht u. E. in dieser Funktion auch noch bei D. Sölle unentbehrlich im Hintergrund, von dem sich ihre Bemühungen atheistischer Theologie allein verständlich und mitteilbar absetzen.

Die Evidenz der Erfahrung ist für den Einzelnen unbestritten. Kommunikationsbasis bleibt aber die in der mitteilbar gewordenen Erfahrung bereits eingezogene (sic, nicht: einbezogene) Tradition. Muß also nicht, um des Fortschreitens zur Freiheit willen, die Frage nicht nach der Evidenz der Erfahrung, sondern nach der Qualität der Tradition gestellt werden? Der Umgang mit Tradition als Sich-Absetzen von vergangener mythischer Autorität oder als Eingang zu mystischer Selbstfindung allein beschränkt u. E. die in der Tradition auch der Vorsehung angelegte Zukunft und fixiert Tradition auf der Stufe der Regression oder Verdrängung, statt aus ihr erneut Verheißung freizusetzen. Bezeichnend dafür scheint uns die Forderung nach dem «immer wieder» solcher religiöser Erfahrung (123). Wiederholung verbürgt noch nicht Emanzipation. (Dasselbe müßte – mit andern Vorzeichen – ebenso einer erwecklichen Vorsehungs-Erfahrungs-Theologie gesagt werden). Damit scheint uns aber das Anliegen D. Sölles, so wie wir es verstehen und teilen, nämlich die Entschränkung des Menschen zu der ihm verheißenen «Freiheit der Herrlichkeit der Söhne Gottes» (Rö. 8, 21) gerade wieder eingeschränkt zu werden. Innere Erfahrung allein scheint uns letztlich zwar eine Hinreise zu ermöglichen. Die Rückreise aber erfolgt anhand von Tradition und Verheißung. Und Gott soll dabei nicht theistisch oder atheistisch, sondern trinitarisch, im Zusammen-Geschehen von Religion, Tradition und Emanzipation, von Erfahrung, Verheißung und Erfüllung, zur Sprache kommen.

122) L 89.
123) H 87.

Teil V

VORSEHUNG ALS VERHEISSUNG EIN SYSTEMATISCHER VERSUCH

1. Vorsehung als Erfahrung

a) Überblick

Das durch den Begriff der Vorsehung in der theologischen Tradition aufgehobene Problem ist das des Zusammendenkens von Wirken Gottes und Weltgeschehen in der Erfahrung des Subjektes. Die letztliche Begründetheit allen Weltgeschehens in Gottes Handeln wurde von Calvin in lebendig mit der Geschichte anhand der Bibel sich konkretisierender Glaubenserkenntnis immer festgehalten. Diese in der Orthodoxie objektiv formulierte Lehre zerbrach an den Vernunft- und Erfahrungsargumenten der Aufklärung. Schleiermacher versuchte das Objektive des Weltregimentes Gottes auf der Grundlage des christlichen Selbstbewußtseins festzuhalten. Dominierend wurden jedoch im 19. und 20. Jh. die Vereinseitigung je eines Poles: die Vorsehung als Erlebnis des frommen Individualismus einerseits, die Überführung der Gedankeninhalte der Vorsehung in menschliche Geschichtsmächtigkeit bei den Philosophen des 19. Jh. anderseits. Dagegen setzten Karl Barth und die Wiederbeleber reformatorischer Theologie im 20. Jh. die Gegenwart Gottes in seinem Wort. Je nach Epoche begegnet bei Barth Gott darin der Geschichte kritisch-eschatologisch – wobei der Gott der Vorsehung als feindlich-religiöser Popanz erscheint – oder die Geschichte wird zur gleichnishaften Abschattung von Gottes Heilsoffenbarung in Christus, und Vorsehung wird zur Randlehre der äußern Bewahrung zum Bund. Damit liegt es aber nahe, daß die Geschichte zur Geschichte ohne Gott resp. zur Geschichte des Todes Gottes als des providentiell Wirkenden wird, da er nichts mehr die Welt Erhellendes oder Verheißendes ansagt, sondern nur noch den Heilsanspruch Christi metaphysisch überhöht (D. Sölle). Entweder sind wir also in der Lage – so sieht für uns die erste Konsequenz dieser Zusammenfassung aus – Gott als Verheißung und Geheimnis des Menschen in und mit seiner Welt ins Bild zu fassen, oder es fällt mit dem Begriff der Vorsehung auch die Geschichtlichkeit christlicher Existenz unter Gottes Verheißung und macht einer Entweltlichung des Glaubens oder seiner Auslieferung an die in ihrem Wesen vorbestimmte Erfahrung Platz. Entweltlichung des Glaubens ist die Folge einer sich selbst genügenden Theologie z.B. in Gestalt eines seinen Glauben absolut denkenden christlichen Selbst- oder Traditionsbewußtseins, das sehr oft eine Ideologie bestimmter als normativ hingestellter Erfahrungen neben sich hat, verkappt in der eigenen Theologie und offen in deren Gegnern.

Christliches Reden von Gottes Vorsehung muß aber in jedem Fall daran festhalten, daß es keine Erfahrung «ohne Gott» (Mat. 10, 29!) gibt. Dies kann anderseits nicht als Erfahrungsinhalt vorausgesetzt werden. Es kann nur in dem Zum-Treffen-Kommen von Tradition als Verheißung mit der Erfahrung in ihrer Vieldeutigkeit als Erfüllung eines Ja in dem Ja und Nein der Existenz und für deren Zukunft (2. Kor. 1, 19–20) geschehen. D.h. Vorsehung muß zielgerichtet verstanden werden als Zusage von Zukunft im Geheimnis der Existenz und gerade nicht als dogmatische Feststellung des Menschen.

Man muß sich aber grundsätzlich fragen, ob der Begriff der Vorsehung dieser Inhaltsbestimmung dienen kann oder nicht von seiner Herkunft aus der stoischen Philosophie und seiner Ansiedlung im heilsgeschichtlich-hierarchisch dominierenden I. Artikel des Credo her einen Eigencharakter besitzt. Dessen Überwiegen würde dann eben genau die nicht-evangelische Komponente des Theismus oder Pantheismus, der Entmündigung des Menschen und der dogmatischen Entziehung seiner Subjekthaftigkeit stärken und fördern. Nicht umsonst hat Barth die Vorsehung aus der Lehre vom Sein Gottes entfernt, haben Schleiermacher und D. Sölle sie sogar ganz umgewandelt resp. abgelehnt. Dies ist bis hin zu den Konsequenzen D. Sölles nicht als Abfall vom wahren Glauben, sondern als problembewußter Versuch einer bessern evangelischen Theologie anzusehen.

Bei diesen Versuchen zeigt sich nun aber auch: Je schärfer die Ablehnung von so etwas wie Vorsehung Gottes ausfällt, desto mehr gewinnt auch eine Eindimensionalität der Glaubenserfüllung Platz, entweder philosophisch (Schleiermacher) oder dogmatisch (Barth) oder experimentell (Sölle). Und damit entfällt im Grunde die Möglichkeit kritischen Sich-Aussetzens sowohl anderer Glaubenstradition wie anderer Welterfahrung in deren Mehrdimensionalität.

Als erstes bedarf es also der Berücksichtigung der Vielgestaltigkeit der Selbst- und Welterfahrung. Wir haben schon früher festgestellt: Es gibt (und gab schon früher) Selbst- und Welterfahrung als religiöse oder areligiöse, d.h. Erfahrung, die bei der geschehenen Verarbeitung sich sowohl in religiösen wie areligiösen Kategorien ausdrücken kann. Dies kann durchaus der gleichen Erfahrung gegenüber (z.B. der Planetenbahnen oder einer Bekehrung) mit religiösen oder naturwissenschaftlichen Kategorien geschehen, wobei diese Charakterisierung selbst wiederum zu differenzieren wäre.

Vorsehung Gottes soll also zunächst gerade dies betonen: Erfahrung ist fragmentarisch und in ihrer Verarbeitung nicht ein Sinnganzes ergebend. Ihre Selbstbezeichnung als religiös oder a(nti)religiös sagt nach christlichem Verständnis nichts Genügendes über einen Glauben an die Vorsehung Gottes aus. Kategorien und die in ihnen ausgesagten Erfahrungen begrenzen und befreien sich vielmehr gegenseitig und machen damit den Weg frei zum Glauben an einen Gott der Vorsehung unter dem Aspekt des Geheimnisses jeder Welterfahrung. Unter diesem Aspekt erfassen wir das, worin Religion und Philosophie Sinn und Wirklichkeit von Dasein und Grund des Seins immer schon erlebt, verstanden und verehrt haben. Ebenso lassen wir hier wissenschaftliche Welterkenntnis bestehen. Beides soll gerade durch den christlichen Glauben an Gottes Vorsehung in seiner Fragmentarität ins Recht gesetzt werden. Auch das Christentum, soweit es sich als Religion verwirklicht, gehört unter diesen Charakter der akzeptierten Fragmentarität.

Als weitere Ebene kommt für den christlichen Theologen das Gottesverständnis seiner ihm überlieferten Tradition des Glaubens ins Spiel. Es ist die Verkündigung Gottes als des verheißenen und verheißenden Erlösers. Diese Gottesverkündigung hat bereits Elemente der vorhin geschilderten Erfahrungen in sich. Sie sind darin zu mythischen Symbolen oder begrifflichen Kategorien geronnen. Diese sind aber nicht das Eigentliche Gottes, sondern, wie z.B. «Vorsehung» als Begriffs-Symbol, Träger einer erfahrenen und anhand des Christusglaubens verarbeiteten Wahrheit, die neu Glauben und damit Erfüllung werden will. Vorsehungsglaube wird Wirklichkeit in der Begegnung mit den Erfahrungs- und Verstehenselementen, die aus den Erlebnissen und Phänomenen der Gegenwart entspringen, z.B. der vorhin geschilderten Erfahrungskategorien. Christus gewinnt so Gestalt in uns als Kindern der Verheißung (Gal. 4, 19.28). Welche Erfahrungen und Begriffe dann durch das Traditionselement «Vorsehung» ins Gespräch gezogen werden und eine Konfrontation ergeben, das kann nicht im Denkschema der Analogie zum Vornherein gefunden oder einfach als Repristination oder Verwerfung der Tradition von Vorsehung festgestellt werden. Ersteres ist ein Gespräch ungleicher Partner, letzteres gar kein Gespräch. Begriffe und Symbole der Tradition werden aber erst glauben-wirkend, wenn es zu einer Neukonkretisation der im Begriff der Vorsehung aufgehobenen Verheißung kommt.

In der christlichen Verkündigung und Existenzerfahrung tritt also ein immer fortführendes Interpretationsgefälle in Kraft, um Gott und dem Menschen zu seiner wahren Wirklichkeit zu verhelfen. Weder Erfahrung noch Tradition bringen je für sich Gott und Mensch in ihre wahre Wirklichkeit, sondern in einen System- resp. Erfahrungsimmanentismus. Traditionelle Lehre ist nicht die christliche Wirklichkeit (sie kann sich allenfalls als Wahrheit erweisen) sowenig wie die Erfahrung christliche Wahrheit ist. Beide sind Fragmente der Wirklichkeit. Erst wo sich beide treffen, entsteht Freiheit und damit leuchtet die Transzendenz Gottes als Suffizienz des Menschen in Erfüllung und Zukunft auf. Etwa so könnte man in moderner Terminologie charakterisieren, was schon Calvin in seiner Verbindung von biblischer Theologie mit dem philosophischen Ziel von Gottes- und Selbsterkenntnis anvisiert hat.

b) Struktur des Vorsehungsglaubens

Mit dem vorhin Ausgeführten ist schon eine wesentliche Vorentscheidung gefallen, die wir hier nur noch klarer auszuziehen haben. Wir verstehen also unter Vorsehung nicht etwas im Welt- und Person-Sein und -Geschehen apriori sinnvoll Waltendes, das uns eine in sich ruhende Sicherheit und Sinnerfüllung zu geben vermöchte, sofern wir uns in sein Wesen einfinden. Ebenso wenig verlangen wir die Vorgabe eines theistisch per se existierenden Gottes, dessen Handeln mit und in der Welt durch Symbole oder Begriffe annähernd an- und ausgesprochen werden könnte. «Es gibt» in dieser Direktheit weder Gott noch Vorsehung als Gegebenes.

Wir halten vielmehr den Glauben an Gottes Vorsehung für eine Form des Zum-Ziel-Kommens Gottes im Menschen als Offenbarung. Als Form der Offenbarung trägt sie selbst die trinitarische Struktur der Offenbarung, sowohl als Erkenntnis- wie auch als Sachstruktur. Ihre Erkenntnisstruktur haben wir bereits als in Vater, Sohn und Geist geschehende Erfahrung, Verheißung und Erfüllung unseres In-der-Welt-Seins bestimmt.

Das trinitarische Wesen dieses Offenbarungsgeschehens ist ausgedrückt in der Formulierung des Zusammentreffens von Überlieferung und Erfahrung als Ort des Freisetzens von Zukunft. Dieses anvisierte Geschehen als Wirklichwerden der Wahrheit könnte man mit JÜNGEL und EBELING als «Erfahrung mit der Erfahrung» bezeichnen. Wir ziehen es vor, hier von Erfüllung zu sprechen, da es im Grunde um eine weiterführende Sinngebung jeder Erfahrung geht und gleichzeitig um eine Erfahrung dessen, was als Werk Gottes des Geistes zu bezeichnen ist, nicht aber um eine religiöse Erfahrung mit profaner Erfahrung.

Um uns die verschiedene Stellung des Redens von «Vorsehung» aufgrund der vorherigen Ausführungen vergegenwärtigen zu können, fassen wir sie in ein Schema:

		Tradition	
		Mythos	
	Metaphysik	Begriff	Verheißung
	Ideologie	Erfahrung	Bild
		Phänomen	
		Erlebnis	

Dieses Schema enthält in seiner Mittelachse 3 in jedem Subjekt zusammentreffende Elemente. Sie sind dabei nur heuristisch, nicht aber tatsächlich voneinander zu trennen. Ihr Zusammentreten wird immer wieder zur Fixierung (in Metaphysik/Ideologie) oder zur Freiheit (Bild/Verheißung) für die Existenz führen. In einem permanenten Interpretationsgefälle versucht die christliche Verkündigung und in ihrem Dienste die Theologie den Menschen aus der Fixierung zur Freiheit zu führen.

Der Begriff der Vorsehung kann nun dabei auf allen Stufen des obigen Schemas eintreten. Vorsehung kann auf der Stufe der Tradition als dogmatisches oder philosophisches Begriffs-Symbol erscheinen (als biblisches erscheint sie *nicht,* am nächsten steht ihr dort der Begriff des Ratschlusses oder Willens Gottes, besonders in den lukanischen Schriften). Vorsehung kann für Erlebnisse und Phänomene als Begriffs-Gestalt der Erfahrung in Anspruch genommen werden. Vorsehung kann zur metaphysischen Rechtfertigung Gottes oder ideologischen Rechtfertigung des Menschen entarten und absterben. Vorsehung soll aber Ausdruck der Erfüllung des Menschen in seiner Geschichtlichkeit, in Geborgenheit und Freiheit, sein, und als Bild und Verheißung ihm Annahme und Überschreiten der Gegenwart zusagen. Dieser Vorsehungsglaube ist aber im traditionellen Gebrauch der Vorsehungslehre aus einer Verheißung an den Menschen zu einem behaupteten oder geleugneten Tatbestand der Bewahrung geworden. Wir müssen uns darum nun dem materiellen Inhalt der Vorsehungslehre zuwenden und sehen, inwiefern Geborgenheit und Freiheit des Menschen im Vorsehungsglauben als Aussage über Gottes Wirken mit der Welt ohne Vergewaltigung der Erfahrung erscheinen können.

2. Vorsehung als Verheißung

Wir haben festgestellt, daß die Vorsehungslehre nicht nur in sich eine komplizierte Problematik umfaßt, sondern auch in ihrer Einordnung in ein Ganzes christlicher Glaubenslehre. Sie ist üblicherweise eine Theologie des I. Artikels, als Fortführung der Schöpfung und Interpretation des Wirkens des «allmächtigen» Gottes. Damit erhält sie nun ein Schwergewicht als Erhalten und Walten Gottes vor und über den Menschen. Damit enthält sie eine Tendenz, zum Allgemeinbegriff für Gottes Wirken zu werden. Beides verstärkt ein Gefälle innerhalb des ökonomisch-trinitarischen Heilsverständnisses (das sich in der Lehre von der immanenten Trinität wiederholt), worin in großer Breite beim Vatergott eingesetzt wird und nach dessen Wirken mit seinem Ziel- und Höhepunkt in Christus nur mühsam noch wirklich gewichtig von dem Ziel der Welt und deren Erlösung im Reiche Gottes geredet werden kann. Der deus unus bleibt Ausgangspunkt und Schwerpunkt anstelle des kommenden Reiches Gottes. Als Handeln Gottes in seinem Heilswerk in Jesus Christus und als Erlösung und Vollendung im Reiche Gottes muß sie aber auch im II. und III. Artikel weitergeführt werden. In den von uns behandelten Modellen hat Karl Barth dies in einem Neuansatz der Vorsehungslehre in KD IV, 3 aufzunehmen und auszugleichen gesucht. Dennoch hat auch sein Werk vielerorts die von Calvin und Schleiermacher vertretene Allmachtstheologie eher verstärkt und die am Beispiel D. Sölles dargestellte und schon früher bei Bonhoeffer auftauchende Ohnmachtstheologie mit ausgelöst.

Wir meinen, es seien Allmacht und Ohnmacht Gottes als in Tradition und Erfahrung ausgesprochene fragmentarische Wahrheiten der Wirklichkeit Gottes zu akzeptieren, und zwar als Fragment in ihrer Echtheit fragmentarisch bleiben zu lassen. Sie sollen nicht dialektisch verrechnet und nicht fromm oder zynisch nur einseitig positiv oder negativ verpflichtend gewertet werden. Vorsehung bedeutet nicht nur Festhalten Gottes in jeder Art von Welterlebnis, sondern ebenso Freiheit zu jeder Form von Welterlebnis, wobei weder das eine noch das andere Gott rechtfertigt oder widerlegt. Weiter steht Vorsehung Gottes als Gegenwart zwischen Schöpfung als vergangener, aber noch gegenwärtiger, und Reich Gottes als zukünftigem, aber schon gegenwärtigem. Damit sind wir beim deus trinus, d.h. bei dem in der Dreiheit seines Wirkens Einen. Sein Eines soll nun aber nicht im Wesen des Vaters als Wesen der Gottheit, sondern im Wesen des Zum-Ziel-Kommens der Offenbarung gefunden werden, da Gott selbst jetzt nur bruchstückhaft, und erst dann ganz erkannt wird, wenn er alles in allem ist (1. Kor. 13,12 und 15,28).

Damit ist Vorsehung im Zwischen von Schöpfung und Vollendung als Offenbarung des Reiches Christi situiert. Sie umfaßt von daher alle 3 Artikel des Credo als Wirken des Dreieinigen, hat aber ihren dogmatischen Ort im II. Artikel als Leben mit Christus in der Welt auf Erlösung hin so wie in Frage und Antwort 1 des Heidelberger Katechismus und der Aussage des Apostolikums über Christus: sitzend zur Rechten Gottes, des allmächtigen Vaters. Vorsehung ist damit aber im Zugleich von Ja und Nein auch das Zugleich von Erhaltung und Erneuerung der Welt.

Wir stellen darum den aus der Theologie des I. Artikels stammenden Begriffen des erhaltenden Vorsehungsglaubens die Begriffe eines der Nichtigkeit der Welt gegenüberstehenden eschatologischen Erneuerungsglaubens gegenüber. Beides sind Erfahrungsfragmente einer durch den Glauben mit Gott in Beziehung gesetzten Wirklichkeit. Die Realität des Glaubens ist das Nebeneinander dieser in einige Begriffe gefaßten Erfahrungen.

Erhaltung (conservatio mundi)	– Aufhebung (consummatio mundi)
Begleitung (concursus)	– Abwesenheit/Anfechtung
Regierung (gubernatio)	– Umgestaltung/Befreiung
alter Äon	– neuer Äon

Entsprechend gibt die Tradition des Gebets Raum

für Dank	ebenso wie für	Klage (Jer. 12, 1 ff!)
Lob		Schrei (Mk. 15, 34!)
Bitte		Seufzen (Röm. 8, 22–23!)

Dies ist nun aber nicht als reine Existenzdialektik aufzufassen. Das Zum-Ziel-Kommen der Offenbarung im Einzelnen setzt als Ziel das Zum-Ziel-Kommen Gottes im Ganzen. Die Erlösung vom Bösen ist Sehnsucht und Effekt der Erhaltung und Aufhebung, des Ja und Nein der Erfahrung im Blick auf Vergangenheit und Zukunft in der gegenwärtigen Existenz. Die Regierung der Welt (gubernatio) darf deshalb nicht als abschließendes Element der Schöpfung in Erscheinung treten. Dieses traditionelle Schema der Vorsehung beschrieb theoretisch Gottes Wirken damals und von heute bis in Ewigkeit, praktisch wurde daraus ein Glaube an die bestehende Welt als gottgewollt. Die Vorsehungslehre ist vielmehr Mittelstück einer nach rückwärts in die Schöpfung und nach vorwärts in die Vollendung sich entfaltenden Verheißung. Deshalb haben wir oben die neutestamentlichen Begriffe des vergehenden alten Äon und des im Kommen begriffenen neuen Äon zugefügt. M. a. W.: Vorsehung als Verheißung zeugt von dem Gott, der ist und der war und der kommt und erst als solcher als Allmächtiger angesprochen werden kann, als eschatologisches Vollendungs- und als gegenwärtiges Offenbarungsprädikat (Off. 1, 8).

Diese Linie ist aber selbst als Offenbarung nur in Christus, d. h. in Erfahrung seiner Verheißungstradition, zugänglich. Er gibt den Erfahrungen des Glauben- wie des Nichtglaubenkönnens, den Fragmenten von Ja und Nein, ihre Richtung der Verheißung als Ja zur Freiheit Gottes und des Menschen

(2. Kor. 1, 19–20) in zunächst teilweiser und schließlich ganzer Erfüllung. In der Existenzerfahrung steht der Mensch zwischen Herkunft aus Ordnung und Chaos und Zukunft als Heil und Vernichtung und pendelt in den Möglichkeiten verschiedener Aspekte. Vorsehung als Offenbarung Gottes stellt ihn in das Geschehen der Befreiung und Erlösung, als Vergangenheit, Gegenwart und Zukunft. Aller Zeit gegenüber ist Vorsehung – christologisch verstanden – Verheißung und Verwirklichung von Heil gegenüber Unheil. Darin ist Christus ebenso Mittler der Schöpfung und Bringer des Reiches Gottes wie Gegenwart für die Seinen im Geist als Angeld der Erfüllung. Von da aus wird Vorsehung zur Verheißung für die Welt, als Ja Christi gegenüber dem Ja und Nein der Erfahrung. In diesem Sinn erschließt die providentia specialis die providentia generalis, die providentia generalis als Kommen des Reiches Gottes ist aber das Ziel der providentia specialis. Providentia generalis darf aber nicht als allgemeines Erhalten der Welt zum bestimmenden Begriff der Vorsehung werden.

3. Vorsehung als Erfüllung

Unter dem Gesichtspunkt der Vorsehung als Verheißung wird der Existenz die Freiheit des Geistes eröffnet. Wir formulieren neu: Vorsehungsglaube ist nicht nur das Annehmen der Realität als dem Zugleich verschiedener Erfahrungen und deren Sein-Lassen-Können als Fragment, er ist zugleich die Erfahrung des Umgewandeltwerdens des Lebens aus Tradition und Erfahrung von einem ziellosen Hin und Her zu einem zielgerichteten Fortschreiten und Hoffen. Er ist als Emanzipation und Trost, als Ethik und Eschatologie auszuführen.

Die Erfüllung besteht also weder im Negieren einer oder mehrerer Seiten der Erfahrung noch im Gewinn eines Gesamtbildes der Existenz aus den Erfahrungen. Beides wäre ein Sich-Bergen in Mythos oder philosophischer Ideologie (in achristlicher und christlicher Gestalt). Dieser Tendenz ist auch die Vorsehungslehre immer wieder verfallen. Die Absicht der darin eingefangenen biblischen Botschaft ist aber gerade ein Entbergen des Menschen, ein Annehmen der Realität in ihrer Gebrochenheit aufgrund der Verheißung einer jetzt fragmentarischen und dann vollständigen Erfüllung der Existenz. Damit wird der Glaube an die Vorsehung aufs engste verbunden mit dem paulinischen «Leben im Herrn», der der Geist Gottes ist. Vorsehungsglaube ist Bejahung des Mit-Christus-In-der-Welt-Seins als einer Welt Gottes, einer vergehenden und neu zum Leben gerufenen Schöpfung (Rö. 4, 17).

Mit diesem Bejahen ist Erfüllung sowohl als Erfüllt-Sein (passiv) wie auch als Erfüllen (aktiv) gemeint. Der Geist der Freiheit reicht vom Willen zur Emanzipation bis zum Trost der Hoffnung.

Die Erfahrung der Erfüllung haben wir damit dem Aspekt des Heiligen Geistes zugeordnet, so wie den der Verheißung Christus und den der Erfahrung Gott-Vater. Damit verschieben sich nun aber u.E. auch innerhalb der Trinitätslehre die Schwerpunkte. Offenbarungstheologisch wird damit der Geist für uns Wesen und Quelle der Gottheit. In ihm kommt die Offenbarung zum Ziel der Erneuerung, zum Ziel der «Freiheit der Herrlichkeit der Kinder Gottes» (Rö. 8, 21). Ausdrücklich sei hier die im gemeinten trinitarischen Sinn formulierende Stelle Rö. 8, 15 b zitiert: «Ihr habt empfangen den Geist der Annahme an Sohnes Statt, in diesem rufen wir: Abba, Vater!» Zumindest für die Lehre von der ökonomischen Trinität müßte damit eine Umorientierung gegenüber der Lehre von der immanenten Trinität erfolgen. Damit würde man dem Befund unserer Analyse der Vorsehungslehre entsprechen, wonach von Erhaltung zu sprechen nur aufgrund von Erneuerung sinnvoll ist. Es ist auch nicht sinnvoll, nur von Erhaltung auf das Heil, d.h. auf Christus hin, zu sprechen, außer es sei nur als Rettung der Erwählten als partielle Größe aus der Menschheit zu verstehen. Ist aber mit ‹Heil in Christus› der Anfang des neuen Äon verstanden, dann bezieht es sich – und damit auch die Vorsehung – auf das Gekommensein und Kommen des Reiches Gottes für die Welt im ganzen.

Die Vorsehungslehre gewinnt so im Bereich der der Welt zugewandten Verheißung Gottes eine ähnliche Stellung wie die Lehre von der Erwählung in der dem Einzelnen zugewandten Soteriologie. Sie eröffnet ein neues In-der-Welt-Sein zwischen Schöpfung und Vollendung, so wie die Erwählung ein neues Vor-Gott-Sein zwischen Gesetz und Evangelium. Beide setzen Freiheit und Erneuerung, beide stehen zwischen Vergangenheit und Zukunft und sind nur in dieser Doppel-Orientierung wirklich erfaßbar. Sachlich ist an beiden Orten die Verheißung das Primäre.

Wir weisen auf diese gemeinsame Doppelstruktur am Beispiel der beiden Paulusworte hin:

«Denn die Gerechtigkeit Gottes wird darin (sc. im Evangelium) offenbart aus Glauben zu Glauben» (Röm. 1, 17a) und «Wir alle aber spiegeln mit aufgedecktem Angesicht die Herrlichkeit des Herrn wider und werden in dasselbe Bild verwandelt von Herrlichkeit zu Herrlichkeit wie von dem Herrn aus, welcher Geist ist» (2. Kor. 3, 18).

In diesen Beispielen zeigt sich auch, daß Glaube an die Verheißung Gottes nicht in einer statischen Befindlichkeit eingefangen werden kann. Es kann also im Vorsehungsglauben nicht allein heißen: «Ich liege, Herr, in deiner Hut ...» sondern muß so ausgehen: «Der mich in diese Nacht geführt, der leitet mich auch morgen» (Jochen Klepper). In dieser Hinsicht ist 2. Kor. 4, 7ff. eine zentrale Darstellung christlichen Vorsehungsglaubens. Aber auch in dem grundlegenden Jesuswort Mt. 10, 29, wonach kein Sperling vom Dache fällt «ohne euren Vater», wird nicht von einer gesicherten Befindlichkeit des Christen gesprochen, sondern es geht mit der Fortsetzung des: «Fürchtet euch nicht! Ihr seid mehr wert als viele Sperlinge» um eine Verheißung für die Nachfolge. Dies ist auch der eigentliche Sinn der Lehre vom concursus, dem Begleiten Gottes, welcher in der traditionellen Vorsehungslehre zur paradoxen Unlösbarkeit des Freiheitsproblems in einer mit Kausalbegriffen operierenden Metaphysik führte. Freiheit des Christen ist aber Freiheit zur Erfahrung unter der Verheißung des erneuernden Gottes, die der Gegenwart Mut zum Geheimnis der Erfüllung der Zukunft gibt. Dieser Mut kommt nicht allein aus dem Sich-Gott-Überlassen – als Annahme der Erfahrung, als Erfahrung Gottes – sondern zugleich damit aus dem Sich-auf-Gott-Einlassen – als Hören auf die Verheißung Gottes. Gott, auch gerade der Gott der Vorsehung, wird damit aus einem Gott der metaphysischen Bewahrung des Menschen vor Unheil zu dem Gott der Öffnung der Geschichte des Menschen zur Zukunft. Erfüllung selbst ist als Erfahrung wiederum der Mehrdeutigkeit ausgesetzt und damit immer wieder neu auf Verheißung angewiesen. Deshalb gilt auch für Gottes Vorsehung, daß wir «im Glauben wandeln, nicht in den Erscheinungen» (2. Kor. 5, 7, vgl. zur Übersetzung ThWB II, 372).

4. Vorsehung und Bild Gottes

Wir haben versucht, Vorsehung als Verheißung des sich als das Heil der Welt offenbarenden Gottes in ihrer Zielgerichtetheit auf die Gegenwart zwischen Vergangenheit und Zukunft zu verstehen. Innerhalb dieser Offenbarung wird nun Gott als Handelnder, Verheißender und Befreiender offenbar. Damit sind die Voraussetzungen zu personaler Rede von Gott und zu einem personalen Verständnis der Gottesbeziehung gegeben, jedoch als Bild und nicht als Wesen. Dieses Verständnis drückt sich in Bildern von Tradition und Erfahrung aus. Die Vorsehungslehre arbeitet mit diesen Bildern, angefangen mit dem Bild des Vater-Gottes. Auch diese Bilder legen nun das Schwergewicht wiederum weniger auf einen uns begegnenden denn auf einen uns vorgegebenen und schon gar nicht auf einen uns befreienden Gott. So konnte diese Befreiung oft nur im Bild des Sich-Ablösens von diesem in der Vorstellung autoritär gesetzten Gott verstanden werden. Sofern diese Bilder – wie z.B. «Herr» – die Souveränität des das Weltgeschehen regierenden Gottes aussprechen, sind sie eher noch in der Lage, die Gegenwart Gottes als Verheißung auszusagen. Hingegen gibt es kaum Bilder, in denen die Zukunft Gottes als Erneuerer und vor allem als mit der Welt zur Vollendung kommender personal ausgesagt werden kann. Die Gleichnisse der Gottesherrschaft etwa zeigen vielmehr ein Sprengen der gefügten Gottesbilder, und ebenso die eschatologischen Passagen ein Umarbeiten gefügter Traditionen. Das letzte Ziel, die Verheißung, daß Gott «alles in allem» sein werde, ist ebenfalls in Aufnahme einer stoisch-pantheistischen Formel als eschatologische Verheißung ausgesagt, nun aber ebenso als Aufhebung des Vorläufigen am personalen Gottesbild.

Diese Bilder erhalten nun ein Eigengewicht als Symbole (auch begrifflicher Art), wenn sie sich außerhalb des Wortes der Verheißung verselbständigen und zu einer direkten Wesensaussage für Gott werden. Sie werden damit Erfahrungs-Werte, die eine Eigenkraft als Vermittler göttlichen Wesens gewinnen, als Ort der Transzendenz ohne Wort der Verheißung. Als Symbole werden sie dann schließlich der christlichen Traditionsprägung entkleidet und kehren ins Allgemeine der (a-)religiösen Welt- und Selbst-Erfahrung ein. Wir haben diese Erfahrung als ein Element der Offenbarung Gottes angesprochen, jedoch nur in deren Zum-Treffen-Kommen mit der Glaubenstradition, in welchem Treffen durch Christus und die Schrift Bilder der Verheißung aus den Symbolen der Erfahrung gewonnen wurden und werden. In Christus werden die Erfahrungssymbole, auch die eines «Gottes», zu Bildern der Verheißung Gottes geformt. Das ist der theologisch-hermeneutische Sinn der Aussage, daß Gott der Gott Jesu Christi ist. Dies gilt für das «Vater»- und «Herr»-Bild genau so wie für die Gleichnisse vom Reiche Gottes.

Damit ist auch eine letzte Abgrenzung gegenüber der Vorsehung als philosophischem Begriffs-Symbol gewonnen. Gott als der Gott Jesu Christi ist ein anderer als der Gott einer aus den Erscheinungen gedachten Vorsehung. Vorsehung ist ein Begriff, der in sich ein Tiefstes an Deutung von Erfahrungszusammenhängen trägt. Aber er ist gerade nicht ein Begriff der Verheißung. Schleiermacher hatte darin recht, als er Vorsehung und Schicksal gleichermaßen als unzureichende Formeln für die Aussage der Weltregierung Gottes betrachtete und aus seiner Glaubenslehre ausschied. In diesem Sinn müssen auch wir Vorsehung als Wesenssymbol Gottes ablehnen. Gott befreit uns gerade von der Vorsehung als Fatum und Factum zur Vorsehung als Verheißung und Erfüllung.

Schließlich sei noch eine Schlußbemerkung zum Thema der Engel und Dämonen angeführt. Sie werden in der traditionellen Theologie als Anhang der Vorsehungslehre behandelt. Nach unserm Verständnis ist diese Vorstellung ein Bild von Kräften der Führung und Anfechtung, d. h. von fragmentarischen, nebeneinander stehenden Erfahrungen des Glaubens und Traditionen der Verheißung. Mit der Engel- und Dämonenlehre ist also nicht etwas Zusätzliches zur Vorsehungslehre ausgesagt, sondern hier finden wir die biblischen Bilder dessen, was man später unter das Begriffs-Symbol Vorsehung faßte. Daß sie für uns wieder zu Bildern unserer Bedrohung und Verheißung werden, kann möglich sein, ist aber keine verpflichtende Form von Vorsehungsglauben, an der dessen Christlichkeit zu testen wäre. Die allein u. E. christliche Form der Vorsehungslehre ist das Geschehen der Offenbarung, in dem Vorsehung zur Verheißung wird.

Literaturverzeichnis

In diesem Verzeichnis sind jeweils die für einen jeden Teil grundlegenden Werke aufgenommen. Sie werden in den Anmerkungen mit dem Verfassernamen zitiert. Weitere in den Anmerkungen erwähnte Literatur wird mit den vollständigen Angaben aufgeführt. Abkürzungen entsprechen dem Verzeichnis in: Die Religion in Geschichte und Gegenwart, 3. A., Tübingen 1956–1962 (= RGG³). Bibelzitate sind, wo nichts anderes vermerkt ist, der Zürcher Bibel, 1931 ff., entnommen.

Literatur zu Teil I: Gottes Vorsehung nach Calvin

Quellen:

J. Calvin, Opera omnia quae supersunt (Corpus Reformatorum), Braunschweig 1863–1900 (= OC).

ders., Opera selecta, ed. P. Barth und W. Niesel, München 1926–1952, Bd. I–V (= OS).

ders., Unterricht in der christlichen Religion (Institutio Christianae Religionis). Nach der letzten Ausgabe übersetzt von O. Weber, 2. durchges. A., Neukirchen 1963 (= Inst.).

R. Schwarz, Johannes Calvins Lebenswerk in seinen Briefen, 2 Bde, Tübingen 1909.

Sekundärliteratur:

J. Bohatec, Calvins Vorsehungslehre, in: Calvinstudien. Festschrift zum 400. Geburtstage Johann Calvins, Leipzig 1909.

A. Ganoczy, Le jeune Calvin. Genèse et évolution de sa vocation réformatrice, Wiesbaden 1966.

W. A. Hauck, Vorsehung und Freiheit nach Calvin, Gütersloh 1947.

P. Jacobs, Prädestination und Verantwortlichkeit bei Calvin, Beiträge zur Gesch. u. Lehre der Ref. Kirche 1, Neukirchen 1937.

W. Krusche, Das Wirken des Heiligen Geistes nach Calvin, Göttingen 1957.

G. W. Locher, Huldrych Zwingli in neuer Sicht, Zürich 1969.

W. Niesel, Die Theologie Calvins, 2. neubearb. A. München 1957.

T. H. L. Parker, Calvins Doctrine of the Knowledge of God, 2. A., Edinburgh 1969.

C. B. Partee, jr., Calvin and Classical Philosophy. A Study in the Doctrine of Providence, Diss., Princeton 1971, Xerox University Microfilms, Ann Arbor, Michigan, USA. Jetzt auch in revidierter Form erschienen als C. B. Partee, Calvin and classical philosophy, Studies in the History of Christian Thought 14, Leiden 1977 (zitiert nach der Buchausgabe).

E. Saxer, Aberglaube, Heuchelei und Frömmigkeit. Eine Untersuchung zu Calvins reformatorischer Eigenart, SDGSTh 28, Zürich 1970.

D. Schellong, Calvins Auslegung der synoptischen Evangelien, FGLP 28, München 1969.

F. Wendel, Calvin. Ursprung und Entwicklung seiner Theologie, (frz. 1950) deutsch von W. Kickel, Neukirchen 1968.

P. Wernle, Der evangelische Glaube nach den Hauptschriften der Reformatoren. III: Calvin, Tübingen 1919.

Nachtrag:

R. Stauffer, Dieu, la création et la Providence dans la prédication de Calvin, Basler und Berner Studien zur historischen und systematischen Theologie Band 33, Bern/Frankfurt am Main/Las Vegas 1978.

Literatur zu Teil II: Gottes Weltregierung nach Schleiermachers Glaubenslehre

Quellen:

F. Schleiermacher, Der christliche Glaube. Auf Grund der zweiten Auflage ... neu herausgegeben und mit Einleitung, Erläuterungen und Register versehen von M. Redeker, 2 Bde., Berlin 1960.

ed. H. Bolli, Schleiermacher-Auswahl, Siebenstern Taschenbuch 113/114, München und Hamburg 1967. Mit einem Nachwort von K. Barth.

Sekundärliteratur:

K. Barth, Die protestantische Theologie im 19. Jahrhundert, Siebenstern Taschenbuch 177/178, Hamburg 1975.

F. Beißer, Schleiermachers Lehre von Gott, Forschungen zur systematischen und ökumenischen Theologie 22, Göttingen 1970.

H. J. Birkner, Theologie und Philosophie. Einführung in Probleme der Schleiermacher-Interpretation, ThEx heute NF 178, München 1974.

W. Brandt, Der Heilige Geist und die Kirche bei Schleiermacher, SDGSTh 25, Zürich 1968.

E. Brunner, Die Mystik und das Wort, 2. A. Tübingen 1928.

G. Ebeling, Schleiermachers Lehre von den göttlichen Eigenschaften, in: Wort und Glaube Bd. II, Tübingen 1969 (= WuG II). Frömmigkeit und Bildung, Beobachtungen zu Schleiermachers Wirklichkeitsverständnis, Schlechthinniges Abhängigkeitsgefühl als Gottesbewußtsein, alle drei Aufsätze in: Wort und Glaube Bd. III, Tübingen 1975 (= WuG III).

F. Hertel, Das theologische Denken Schleiermachers, untersucht an der ersten Auflage seiner Reden «Über die Religion», SDGSTh 18, Zürich 1965.

E. Hirsch, Geschichte der neueren evangelischen Theologie, Bd. V, Gütersloh 1954.

F. W. Kantzenbach, Schleiermacher, rororo Bildmonographien 126, Reinbek bei Hamburg 1967.

P. Seifert, Die Theologie des jungen Schleiermacher, Beiträge zur Förderung christlicher Theologie 49, Gütersloh 1960.

R. Stalder, Grundlinien der Theologie Schleiermachers. I. Zur Fundamentaltheologie, Veröffentlichungen des Instituts für Europäische Geschichte Mainz Bd. 35, Wiesbaden 1969.

T. N. Tice, Schleiermacher Bibliography, Princeton 1966.

Literatur zu Teil III: Gottes Vorsehung nach K. Barth

Quellen:

K. Barth, Die Kirchliche Dogmatik, Bd. I, 1–IV, 4 und Register, Zollikon/Zürich 1932–1970 (= KD).

ders., Der Römerbrief, 2. A. München 1922 (= Röm II).

ders., Das Wort Gottes und die Theologie, München 1924 (= Vortr I).

ders., Credo. Die Hauptprobleme der Dogmatik dargestellt im Anschluß an das Apostolische Glaubensbekenntnis. 16 Vorlesungen, gehalten an der Universität Utrecht im Februar und März 1935, Zollikon 1939 (= Credo).

ders., Eine Schweizer Stimme 1938–1945, Zollikon 1945 (= Vortr IV).

ders., Die christliche Lehre nach dem Heidelberger Katechismus, Zollikon 1948 (= Heidelberger).

ders., Gesamtausgabe II: Akademische Werke. Ethik I, ed. D. Braun, Zürich 1973 (= Ethik I).

Sekundärliteratur:
H.-U. v. Balthasar, Karl Barth. Darstellung und Deutung seiner Theologie, 2. A. Köln 1962.
C. G. Berkouwer, Der Triumph der Gnade in der Theologie Karl Barths, Neukirchen 1957.
E. Busch, Karl Barths Lebenslauf nach seinen Briefen und autobiographischen Texten, München 1975.
W. Dantine/K. Lüthi (ed.), Theologie zwischen gestern und morgen. Interpretationen und Anfragen zum Werk Karl Barths, München 1968.
E. Jüngel, Gottes Sein ist im Werden, 2. A. Tübingen 1967.
K. Kupisch, Karl Barth in Selbstzeugnissen und Bilddokumenten, rororo Bildmonographien 174, Reinbek bei Hamburg 1971.
G. Sauter, Zukunft und Verheißung, 2. A. Zürich 1973.
W. Schlichting, Biblische Denkform in der Dogmatik. Die Vorbildlichkeit des biblischen Denkens für die Methode der Kirchlichen Dogmatik Karl Barths, Zürich 1971.
F. Schmid, Verkündigung und Dogmatik in der Theologie Karl Barths. Hermeneutik und Ontologie in einer Theologie des Wortes Gottes, FGLP X, 29, München 1964.
M. Schoch, Karl Barth, Frauenfeld 1967.
T. Stadtland, Eschatologie und Geschichte in der Theologie des jungen Karl Barth, Beiträge zur Geschichte und Lehre des Protestantismus, Neukirchen 1966.
K. G. Steck/D. Schellong, Karl Barth und die Neuzeit, ThEx heute 173, München 1973.
O. Weber, Grundlagen der Dogmatik, 2 Bde, Neukirchen 1955/1962 (4./2. unv. A. 1972).
ders., Karl Barths Kirchliche Dogmatik. Ein einführender Bericht zu den Bänden I, 1 bis IV, 2, 7. erw. A. Neukirchen 1975.

Festschriften:
Theologische Aufsätze. Karl Barth zum 50. Geburtstag, München 1936.
Antwort. Festschrift für Karl Barth, Zürich 1956.
Parrhesia. Karl Barth zum 80. Geburtstag, Zürich 1966.

Nachträge:
A. Geense, Die Bedingung der Universalität. Über die Rezeption der Theologie Karl Barths, Bh Ev Th 2/1979 (mit Literatur-Angaben). Vgl. auch die Einführung zu diesem Heft von G. Sauter.
G. Kraus, Vorherbestimmung. Traditionelle Prädestinationslehre im Licht gegenwärtiger Theologie. Ökumenische Forschungen ed. H. Küng und J. Moltmann, II. Soteriologische Abteilung, Band V. Freiburg/Basel/Wien 1977.
Ch. Link, Die Welt als Gleichnis. Studien zum Problem der natürlichen Theologie, Beiträge zur evangelischen Theologie 73, München 1976.
M. Plathow, Das Problem des concursus divinus; das Zusammenwirken von göttlichem Schöpferwirken und geschöpflichem Eigenwirken in K. Barths Kirchlicher Dogmatik, Göttingen 1976.

Literatur zu Teil IV: Vorsehungslehre und Atheismus bei D. Sölle

Quellen:

D. Sölle, Stellvertretung. Ein Kapitel Theologie nach dem «Tode Gottes», Stuttgart 1965 (= St).

dies., Die Wahrheit ist konkret, theologia publica 4, Olten 1967 (= W).

dies., Atheistisch an Gott glauben. Beiträge zur Theologie, Olten 1968 (= A).

dies., Phantasie und Gehorsam. Überlegungen zu einer künftigen christlichen Ethik, Stuttgart 1968 (= PuG).

dies. und F. Steffensky (ed.), Politisches Nachtgebet in Köln, 2 Bde, Stuttgart 1969/1971 (= PN).

dies., D. Sölle antwortet Karl Munser. Das Evangelium als Inspiration. Impulse zu einer christlichen Praxis, Das theologische Interview 6, Düsseldorf 1971.

dies., Politische Theologie. Auseinandersetzung mit Rudolf Bultmann, Stuttgart 1971 (= PT).

dies., Das Recht, ein anderer zu werden, Sammlung Luchterhand 43 (Reihe Theologie und Politik 1), Neuwied und Berlin 1971.

dies., Leiden. Ergänzungsband Themen der Theologie, Stuttgart 1973 (= L).

dies., Realisation, Studien zum Verhältnis von Theologie und Dichtung nach der Aufklärung, Sammlung Luchterhand 124, Darmstadt 1973 (= Realisation).

dies., Die Hinreise. Zur religiösen Erfahrung. Texte und Überlegungen, Stuttgart 1975 (= H).

dies., Der Wunsch ganz zu sein. Gedanken zur neuen Religiosität, in: Religionsgespräche. Zur gesellschaftlichen Rolle der Religion, Sammlung Luchterhand 175 (Reihe Theologie und Politik 10), Neuwied und Berlin 1975, 146–161.

Ebenfalls abgedruckt in: Der unverbrauchte Gott, ed. I. Riedel, München 1976, 7–16.

Nachtrag:

D. Sölle, Sympathie. Theologisch-politische Traktate, Stuttgart/Berlin 1978.

Autoren- und Namenregister

Die Ziffern geben die Seitenzahl an. Auf Calvin, Schleiermacher, Barth und Sölle wird nur bei Nennung außerhalb des diesen Autoren gewidmeten Teiles hingewiesen. Vgl. im übrigen auch das Literaturverzeichnis.

Bibelstellen-Register